- Wara enso Carmic ^2
- Wibalin fineliner
Prussian blue (568)

- Yellow Pantone 8050
(neon)

Pourquoi n'y a-t-il pas eu de grands artistes femmes ?

Linda Nochlin

Pourquoi n'y a-t-il pas eu de grands artistes femmes ?

Sommaire

Introduction

Catherine Grant

Publié pour la première fois en 1971, « Pourquoi n'y a-t-il pas eu de grands artistes femmes ? » a posé les bases de l'histoire de l'art féministe. Le texte de Linda Nochlin est toujours pertinent de nos jours, non seulement pour sa critique virulente de la « grandeur » en tant que qualité innée, mais aussi pour son étude de la façon dont des femmes artistes ont réussi malgré l'exclusion des institutions et les inégalités sociales. Comme nombre de commentateurs l'ont analysé, le terme de « femme artiste » est une construction historique, au même titre que celui de « grand artiste[1] ». L'intérêt porté aux artistes de sexe féminin a permis une critique plus générale des présupposés idéologiques de l'histoire de l'art qui, à l'époque où Linda Nochlin écrivait, prenaient souvent le pas sur les critères objectifs servant à déterminer la grandeur, le talent et le succès. Comme elle le démontre, la position soi-disant neutre des universitaires dans la plupart des disciplines était en réalité celle « du-mâle-blanc-acceptée-comme-naturelle[2] ». Elle vient ensuite détailler les conséquences de ce point de vue pour les artistes « qui n'ont pas eu la chance de naître blancs, préférablement bourgeois, et surtout, mâles[3] ». Ses conclusions et les pistes qu'elle lance pour des études plus approfondies restent toujours ouvertes à l'analyse aujourd'hui.

Dans les cinquante années qui ont suivi sa publication, le texte de Linda Nochlin est devenu une pierre angulaire pour les écrivaines, artistes et commissaires d'exposition féministes. Beaucoup de cursus de premier cycle en art et en histoire de l'art continuent d'en faire une porte d'entrée vers les débats sur les inégalités structurelles et sur les idées reçues qui abondent encore lorsqu'il s'agit de créativité et de grandeur. Le titre « Pourquoi n'y a-t-il pas eu de grands artistes femmes ? » a imprégné la culture populaire au point d'apparaître sur des t-shirts lors d'un défilé Dior en 2017, pendant que le public se voyait offrir de beaux exemplaires reliés du texte. Avec le nombre élevé de femmes artistes qui sont aujourd'hui considérées comme « grandes », est-il toujours nécessaire d'étudier cet essai en détail ? Dans cette introduction, je montrerai que l'analyse critique à laquelle se livre Linda Nochlin dévoile des présupposés qui sont encore bien ancrés dans l'art et l'histoire de l'art. Je résumerai et contextualiserai les éléments clés de son article puis je les mettrai en relation avec l'avis de l'autrice elle-même sur son travail initial, en m'appuyant sur le second texte publié ici, écrit en 2001, et qu'elle conclut en évaluant ce dont l'histoire de l'art féministe a besoin aujourd'hui.

L'un des éléments clés du texte de 1971 réside dans sa manière de répondre à la question « Pourquoi n'y a-t-il pas eu de grands artistes femmes ? ». Dans sa version originale, publiée dans un numéro spécial d'*ARTnews* consacré à « La libération de la femme, les femmes artistes et l'histoire de l'art », la phrase suivante figure en introduction de l'article : « Conséquences du Women's Lib pour l'histoire de l'art et la scène artistique contemporaine – ou comment les questions bêtes nécessitent de longues réponses[4] ». Ces mots n'ont jamais été reproduits dans les rééditions suivantes du texte alors qu'ils résument un élément essentiel de l'argumentation de Linda Nochlin : le titre est une « question bête ». Dans le corps du texte, elle explique qu'il ne faut pas prendre cette question au premier degré et qu'il faut plutôt interroger ses sous-entendus. Ceci l'amène à son argument central : la créativité est le résultat du soutien institutionnel et éducatif plutôt que d'un mystérieux germe du génie ou du talent. Pour défendre son point de vue, elle invite le lecteur à reformuler la question pour l'adapter à un autre groupe d'individus : les aristocrates. Elle soutient qu'à l'instar des femmes, les aristocrates ne sont pas devenus de grands artistes au cours de l'histoire, et ceci parce que les nécessités et les obligations liées à leur position sociale ont rendu « impossible, et même impensable, un dévouement total à l'art comme profession[5] ». Elle explique que « la création artistique – celle-ci étant liée au développement du sujet créateur ainsi qu'à la nature et à la qualité de l'œuvre d'art en elle-même – survient dans un certain paysage social », spécifie une série d'institutions et d'attentes parmi lesquelles on compte « les académies et les systèmes de mécénat, mais aussi les mythologies sur le créateur divinisé et sur l'artiste comme super-héros viril ou paria social[6] ». Puis, pour les femmes, elle affirme (dans un des passages les plus cités de son texte) :

« La faute [...] n'incombe pas à nos lignes de vie, nos hormones, nos cycles menstruels ou notre vacuité intérieure, mais bien à nos institutions et notre éducation – l'éducation englobant ici tout ce qui nous arrive dès lors que nous naissons à ce monde de symboles, de signes et de signaux[7]. »

Après avoir fait tomber les bases branlantes qui soutiennent les notions de « grandeur » (notamment grâce à une analyse détaillée des moyens qui ont tenu les femmes à l'écart d'une compétence technique essentielle aux artistes, de la Renaissance à la fin du XIXe siècle : le dessin d'après modèle nu), Linda Nochlin s'attaque à l'exploration des voies de la réussite féminine. Prenant l'artiste peintre du XIXe siècle Rosa Bonheur comme cas d'étude, elle décrit le père de cette dernière comme un « professeur de dessin sans-le-sou » et montre comment, comme pour beaucoup d'hommes (elle cite alors Picasso), avoir un père artiste a rendu possible un épanouissement créatif qu'on a pu attribuer par la suite à une mystérieuse notion de génie. Ce qu'elle n'étudie pas en détail cependant, c'est la présence de la compagne de Rosa Bonheur, l'artiste Nathalie Micas. Linda Nochlin avance que leur relation est très probablement restée platonique, alors que désormais, il est généralement admis que les deux femmes ont vécu comme un couple marié. Rosa Bonheur a donc une « compagne-artiste » ou une « sœur-artiste » autant qu'un « père-artiste », ce qui esquisse une communauté proto-queer-féministe d'au moins deux personnes. En décrivant la vie de Rosa Bonheur, ses tenues « masculines », ses relations, Linda Nochlin discerne indirectement l'émergence d'une pensée féministe lesbienne et queer telle que nous la connaissons aujourd'hui, et qui s'épanouit autour des communautés, de la sexualité et des structures familiales non-normatives. De même, elle sous-entend que le soutien des individus masculins, en particulier celui des pères-artistes, a été primordial face aux exclusions du patriarcat.

En traitant d'artistes femmes ayant réussi comme Rosa Bonheur, Linda Nochlin concède qu'elles n'ont peut-être pas accédé au statut de superstars du monde de l'art comme Michel-Ange ou Picasso mais que, malgré tout, elles ont su se faire une place bien à elles au fil des siècles – de la sculptrice du XIIIe siècle Sabina von Steinbach à des artistes du XXe siècle comme Käthe Kollwitz et Barbara Hepworth. Dans ses écrits plus tardifs, et notamment dans les critiques qu'elle-même a formulées sur son travail, elle considère que cette notion d'hypercélébrité masculine et occidentale est propre à la période de l'après Seconde Guerre mondiale. Dans *Old Mistresses : Women, Art and Ideology*, un livre essentiel daté de 1981, Rozsika Parker et Griselda Pollock soutiennent même de manière étayée que les artistes femmes étaient présentes dans les écrits et les expositions jusqu'au XXe siècle, période à laquelle on les a littéralement effacées des volumes d'histoire de l'art à partir des débuts de la modernité. Comme le dit Griselda Pollock, les historiennes de l'art féministes des années 1970 « devaient se faire archéologues » pour démanteler « le sexisme structurel propre à l'histoire de l'art comme discipline[8] ».

Dans les écrits suivants de Linda Nochlin et grâce à des commissariats d'expositions – à commencer par « Women Artists: 1550-1950 » qu'elle a montée avec Ann Sutherland Harris en 1976 –, elle a contribué au projet titanesque qui consistait à réimaginer des histoires de l'art qui n'excluent ni ne diminuent le travail des artistes femmes. Lors de sa première parution, le texte « Pourquoi n'y a-t-il pas eu de grands artistes femmes ? » était accompagné de nombreuses illustrations, allant d'une enluminure médiévale réalisée collectivement par des nonnes au Xe siècle à des œuvres contemporaines d'Agnes Martin ou

Louise Bourgeois. Une reproduction pleine page d'une *Judith décapitant Holopherne* d'Artemisia Gentileschi (v. 1614-1620) était placée en regard de la page de titre de l'article. La légende de cette image assurait que cette peinture « aurait pu servir de banderole pour le Women's Lib » ! Les légendes de l'article n'étaient pas explicitement attribuées à Linda Nochlin, mais elles sont dotées du même ton informel que celui avec lequel elle aborde son argumentation éminemment sérieuse. Ces œuvres de femmes artistes choisies en illustration témoignent de la richesse des pratiques qui ont été balayées des histoires de l'art. Elles revendiquent leur importance tout en étayant l'argument principal qui vise à réfuter les bases idéologiques du jugement traditionnel en histoire de l'art. L'équilibre délicat que Linda Nochlin parvient à maintenir dans son essai est parfois interprété à tort comme un appel à la création d'un canon artistique féminin. Il n'en est rien mais, effectivement, son texte commence à fournir à son lectorat (féminin) des outils pour s'imaginer ce que signifie être une artiste à succès ou écrire sur l'art des femmes.

Trente ans plus tard, en 2001, Linda Nochlin se souvient comment, dans les années 1970, une histoire de l'art féministe restait à construire : « De nouvelles sources devaient être recherchées, des bases théoriques posées, des méthodologies peu à peu érigées[9]. » Dans son essai « Pourquoi n'y a-t-il pas eu de grands artistes femmes ? Trente ans plus tard », elle soutient que « l'histoire de l'art féministe est là pour semer la zizanie, pour remettre en question, pour voler dans les plumes du patriarcat[10] ». La zizanie est arrivée en 1971 grâce à ses analyses imparables sur le « génie » et la « grandeur », mais aussi grâce au simple fait d'imaginer la pertinence de ce chaos dans le contexte contemporain du Women's Liberation Movement. Et même avant cela, Linda Nochlin s'était interrogée sur l'enjeu que représentait le fait d'être marginalisée ou classée comme « autre ». Elle avait perçu ce que cela pouvait apporter à des formes plus radicales de la recherche. Citons une autre de ses phrases incisives et souvent reprises : « Rien, à mon sens, n'est plus intéressant, plus poignant et plus difficile à saisir que l'intersection entre le moi et l'histoire[11]. » Dans un essai qui retrace sa formation intellectuelle, notamment ses expériences au sein du Women's Liberation Movement, elle décrit comment elle en est venue à rejeter une approche unilatérale de son travail en histoire de l'art, et comment elle a développé une « méthodologie *ad hoc* » fondée sur l'expérience personnelle, la théorie politique et l'histoire sociale autant que sur les méthodes traditionnelles de l'histoire de l'art comme l'iconographie[12]. Pour qualifier cette « intersection entre le moi et l'histoire », elle raconte un voyage au Royaume-Uni en 1948 où, à l'âge de dix-sept ans, elle dit avoir compris pour la première fois qu'elle était « une Juive de Brooklyn[13] ». Cette conscience d'avoir été marginalisée dans son rapport aux institutions culturelles dominantes et la manière dont cela l'a forcée à interroger la position « du-mâle-blanc-acceptée-comme-naturelle » ont déterminé l'intérêt qu'elle portera toute sa vie à l'identité et à sa représentation. Tout au long d'une carrière exceptionnellement prolifique, elle a bien sûr exploré comme on le sait la notion de genre, mais aussi bien d'autres sujets, tels que la représentation de l'identité juive, le vieillissement, l'orientalisme, la maternité, l'érotisme et les rapports de classe.

La gamme de sujets que l'on trouve dans les écrits de Linda Nochlin indique son approche féministe intersectionnelle, une approche encore bien nécessaire quelque cinquante années après la première publication de son texte. Les débats qui ont lieu depuis le début des années 1970 sur les notions de race, de classe, d'ethnicité et de sexualité nécessitent toujours d'être nourris par des recherches approfondies en lien avec la politique féministe et l'histoire de l'art. Le titre formulé par Linda Nochlin en 1971 a très souvent été décliné, comme dans un texte récent de Eliza Steinbock qui demande « Pourquoi n'y a-t-il pas eu de grands artistes trans ? »[14]. Les chercheuses comme Linda Nochlin, Griselda Pollock et d'autres pionnières de l'histoire de l'art féministe racontent leurs expéditions pendant les années 1970 dans les réserves de musées et autres lieux d'exposition pour exhumer des œuvres d'artistes femmes qui n'avaient pas été présentées depuis des décennies. Plus récemment, on assiste à des démarches semblables pour dévoiler les œuvres d'artistes de couleur, comme la base de données initiée par le projet Black Artists and Modernism, qui fait une recension des « œuvres d'artistes noirs dans les collections publiques » du Royaume-Uni[15]. Une veille sur les publications récentes en histoire de l'art féministe montre l'émergence d'une gamme de perspectives globales et transnationales, bien que ces approches soient loin d'être totalement reconnues. En revanche, une solide communauté d'historiennes de l'art et d'artistes féministes s'est mise en place, et celle-ci perpétue l'héritage des critiques d'art des années 1970.

C'est avec cet accent mis sur la communauté féministe que je voudrais achever mon propos. Les essais de Linda Nochlin réimprimés ici insistent tous les deux sur l'importance des communautés dont ses écrits sont directement issus. Par ailleurs, dans ses mémoires, elle restitue en détail le premier séminaire sur les femmes et l'art qu'elle a dirigé à l'université de Vassar en 1969 et elle montre comment il a posé les fondations de son essai de 1971. Elle considère qu'elle fait partie comme ses étudiantes d'« un groupe engagé de chercheuses proto-féministes », et se souvient comment elles ont été « à la fois créatrices et exploratrices : créatrices d'hypothèses et de concepts, naviguant à vue sur un vaste océan de matière bibliographique inconnue, dans les rivières souterraines et les torrents de l'art fait par les femmes et des représentations des femmes[16] ». Dans son essai de 2001 réimprimé ici, elle continue de rendre hommage à la communauté de chercheuses qui ont façonné une histoire de l'art féministe. Elle refuse d'être vue comme une figure de proue, mais confirme plutôt que « nous avons – en tant que communauté, travaillant de concert – changé le discours et la production de notre domaine ». Elle met aussi en garde contre l'héroïsme masculin qu'elle voit faire son grand retour dans l'art, la politique et la culture – retour qui se manifeste encore aujourd'hui[17]. Dans ce contexte, la description que fait Linda Nochlin de ce groupe de chercheuses proto-féministes est toujours primordiale pour les lectrices et lecteurs cinquante ans plus tard. Il nous appartient à nous toutes, engagées désormais dans le projet varié, intersectionnel et en constante évolution qu'est l'écriture d'une histoire de l'art féministe et la production d'un art féministe, de toujours nous penser « créatrices et exploratrices », de toujours poser des questions et de semer la zizanie avec bonheur.

Remerciements

Merci à Sam Bibby, Althea Greenan, Hilary Robinson et Lynora Williams (directrice du Betty Boyd Dettre Library and Research Center, National Museum of Women in the Arts, Washington DC) de m'avoir aidée à trouver des documents déterminants et de m'avoir parlé de la contribution généreuse de Linda Nochlin à l'histoire de l'art.

C. G.

Notes

1   Voir Carol Armstrong et Catherine de Zegher (éds), *Women Artists at the Millennium*, MIT Press, Cambridge, Mass., 2006.

2   Linda Nochlin, « Why Have There Been No Great Women Artists? », 1971, in *Women, Art and Power and Other Essays*, Westview, Boulder, Colorado, 1988, p. 145. Sauf mention contraire, toutes les citations suivantes se réfèrent à ce recueil. Une traduction française de ce recueil, désormais épuisée, a existé sous le titre *Femmes, Art et Pouvoir*, Jacqueline Chambon, trad. Oristelle Bonis, Nîmes, 1993. Les extraits cités ici ont été retraduits à l'occasion de cette nouvelle publication.

3   *Ibid.*, p. 150.

4   Linda Nochlin, « Why Have There Been No Great Women Artists? », *ARTnews*, janvier 1971, p. 23.

5   Nochlin, *Women, Art and Power*, *op.cit.*, p. 157.

6   *Ibid.*, p. 158.

7   *Ibid.*, p. 150.

8   Griselda Pollock, « A Lonely Preface », in Rozsika Parker et Griselda Pollock, *Old Mistresses: Women, Art and Ideology*, I. B.Tauris, Londres, 1981, 2ᵉ édition, 2013, p. xxiii, p. xvii.

9   Linda Nochlin, « Why Have There Been No Great Women Artists? Thirty Years After », in *Women Artists at the Millennium*, 2006, p. 29.

10   *Ibid.*, p. 30.

11   Linda Nochlin, « Introduction: Memoirs of An Ad Hoc Art Historian », in *Representing Women*, Thames & Hudson, Londres, 1999, p. 33.

12   *Ibid.*, pp. 10–11.

13   *Ibid.*, p. 9.

14   Eliza Steinbock, « Collecting Creative Transcestors: Trans* Portraiture Hirstory, from Snapshots to Sculpture », in Hilary Robinson et Maria Elena Buszek (éds), *A Companion to Feminist Art*, Wiley Blackwell, Hoboken, New Jersey, 2019.

15   « BAM National Collections Audit », mené par Anjalie Dalal-Clayton dans le cadre du Black Artists and Modernism project (2015-2018), <http://www.blackartistsmodernism.co.uk/black-artists-in-public-collections/> (consulté le 22 avril 2020).

16   Nochlin, *Representing Women*, *op.cit.*, p. 19.

17   Mignon Nixon aborde plus en détail cette question dans son essai hommage « Women, Art and Power After Linda Nochlin », *October*, n° 163, mars 2019, pp. 131–132.

Pourquoi n'y a-t-il pas eu de grands artistes femmes ?

ARTnews, janvier 1971

Si la montée récente du féminisme dans notre pays a bien été une libération, sa force a surtout été de nature émotionnelle – personnelle, psychologique et subjective, à l'instar des autres mouvements radicaux auxquels le féminisme est lié. Elle a porté sur le présent et ses besoins immédiats plutôt que sur l'analyse historique des questions intellectuelles élémentaires qui sont immanquablement soulevées par les féministes dans leur remise en cause du *statu quo*[i]. Pourtant, comme toute révolution, celle du féminisme devra se confronter aux fondements intellectuels et idéologiques des différentes disciplines – histoire, philosophie, sociologie, psychologie, etc. – de la même manière qu'elle interroge les idéologies des institutions sociales de son époque. Si, comme l'a suggéré John Stuart Mill, nous avons tendance à considérer comme naturel tout ce qui *est*, cette acception est tout aussi vraie dans le champ de la recherche intellectuelle que dans nos conventions sociales. Dans la recherche, les postulats dits « naturels » du passé doivent aussi être remis en question et les sources souvent mythiques de ce que nous qualifions de « faits » doivent être mises en lumière. C'est ainsi que la position de la femme en tant que marginale identifiée, ce « elle » dissident qui surgit en lieu et place du « on » présumé neutre – mais qui correspond en réalité à la position-de-mâle-blanc-acceptée-comme-naturelle ou au « il » comme sujet caché de tous les énoncés scientifiques – devient un avantage incontestable plutôt qu'une entrave ou un biais subjectif.

Dans le champ de l'histoire de l'art, le point de vue du mâle blanc occidental, inconsciemment admis comme *le* point de vue de l'historien de l'art par excellence, pourrait se révéler – et se révèle – inadéquat, non seulement pour des raisons d'éthique et de morale, ou simplement parce qu'il est élitiste, mais aussi sur un plan purement intellectuel. Par sa seule présence en tant qu'intruse qui vient s'immiscer dans la recherche historique, la critique d'art féministe dévoile l'incapacité d'une grande partie de l'histoire de l'art et de l'histoire en général à tenir compte du système de valeurs inconscient dans lequel elles évoluent ; elle met ainsi à nu leur faiblesse conceptuelle en même temps que leur naïveté métahistorique. À l'heure où toutes les disciplines deviennent plus prudentes, plus conscientes de la nature de leurs postulats tels qu'ils sont formulés via les langages et structures propres aux différents champs de la recherche, prendre aussi aveuglément pour « naturel » tout « ce qui est » pourrait porter un coup fatal à l'histoire de l'art sur le plan intellectuel. De même que John Stuart Mill considérait la domination masculine comme une des nombreuses injustices qui devaient être vaincues pour qu'advienne un ordre social plus juste, nous pouvons considérer la domination implicite de la subjectivité blanche et masculine comme l'un des biais subjectifs qui doivent être corrigés pour accéder à une vue plus précise et plus juste des événements historiques.

C'est aux esprits féministes et engagés (comme John Stuart Mill) de percer à jour les limites culturelles et idéologiques de l'époque et de son « professionnalisme » particulier pour en révéler les biais et les faiblesses, certes en se penchant sur la question des femmes, mais également en formulant comme un tout les questions cruciales de leur discipline. Dès lors, cette fameuse « question des femmes », au lieu d'apparaître comme une préoccupation mineure, périphérique et ridiculement provinciale venue parasiter une discipline sérieuse et établie, peut devenir un catalyseur, un outil intellectuel qui vient mettre à l'épreuve les hypothèses dites « naturelles ». Elle peut servir de modèle aux autres questionnements internes à sa propre discipline et, en retour, faire le lien vers d'autres modèles mis en place par des approches radicales dans d'autres sphères du savoir. Même une question simple comme « Pourquoi n'y a-t-il pas eu de grands artistes femmes ? » peut, si on lui apporte une réponse adéquate, créer une sorte de réaction en chaîne qui se déploierait non seulement pour englober les hypothèses répandues dans son champ de recherche, mais aussi vers l'extérieur, pour embrasser d'autres disciplines telles que l'histoire et les sciences sociales, voire la psychologie et la littérature. Dès lors, elle pourrait remettre en question dès le départ l'idée selon laquelle les disciplines traditionnelles de la recherche sont encore pertinentes pour aborder les grandes problématiques importantes de notre époque et pas seulement des questions auto-générées ou peu dérangeantes.

Examinons par exemple les effets de cette question récurrente (dont il suffit bien entendu de remplacer les termes clés pour

l'appliquer à presque n'importe quelle activité humaine) :
« Eh bien, si les femmes *sont* réellement les égales des hommes,
pourquoi donc n'y a-t-il jamais eu aucune femme considérée
comme une grande artiste (ou compositrice, ou mathématicienne,
ou philosophe, ou pourquoi si peu de grandes femmes dans
chacun de ces domaines) ? »

« Pourquoi n'y a-t-il pas eu de grands artistes femmes ? ».
Dans cette phrase résonne le reproche qui sous-tend la plupart
des discussions sur ladite question des femmes. Mais, comme
de si nombreuses soi-disant questions qui animent le « débat »
féministe, elle falsifie la nature du problème tout en induisant
insidieusement sa propre réponse : « Il n'y pas de grandes femmes
artistes car les femmes sont incapables de grandeur. »

Les suppositions induites par cette question varient à la fois
en registre et en degré de sophistication, allant de démonstrations
« scientifiquement prouvées » sur l'incapacité des êtres humains
pourvus d'utérus plutôt que de pénis à créer quoi que ce soit
de significatif, jusqu'aux étonnements d'esprits plus ou moins
ouverts constatant qu'après tant d'années de quasi-égalité – et
après tout, les hommes subissent eux aussi leur lot d'oppressions,
n'est-ce pas ? – les femmes n'ont toujours rien accompli de si
important dans les arts visuels.

La première réaction de toute féministe est d'être attirée
par l'appât, puis de mordre à l'hameçon jusqu'à avaler la ligne
et le plomb avec lui, en essayant de répondre à cette question
telle qu'elle est posée, c'est-à-dire en exhumant des exemples
de femmes valeureuses et injustement méconnues dans le cours
de l'histoire, en réhabilitant des carrières et des productions
intéressantes quoique plutôt modestes, en redécouvrant des

Artemisia Gentileschi, *Judith
décapitant Holopherne,*
v.1614–1620.

Huile sur toile, 199 × 162 cm

femmes peintres de fleurs ou des élèves de David oubliées pour tenter d'en faire des cas d'école, ou encore en démontrant que Berthe Morisot n'a pas été si dépendante de Manet qu'on serait tenté de le croire – ce qui, en d'autres termes, revient à agir comme tout chercheur ou spécialiste qui pratique son cœur de métier en tentant de prouver l'importance de « son » artiste jusqu'alors négligé ou tenu pour mineur. De tels efforts, qu'ils soient motivés par un positionnement féministe, comme l'ambitieux article sur les femmes artistes publié dans la *Westminster Review*[2] en 1858, ou par des ambitions plus savantes, comme les recherches récentes sur des artistes comme Angelica Kauffmann et Artemisia Gentileschi[3], sont évidemment louables car ils contribuent à enrichir notre savoir, à la fois sur les réalisations des femmes et sur l'histoire de l'art en général. En revanche, ils ne remettent nullement en cause le sous-entendu caché dans la question « Pourquoi n'y a-t-il pas eu de grands artistes femmes ? ». Au contraire, en tentant d'y répondre, ils renforcent tacitement ses présupposés négatifs.

Une autre manière de répondre à cette question consiste à légèrement déplacer le débat pour faire valoir, avec certaines féministes contemporaines, que la « grandeur » de l'art des femmes n'est pas la même que celle des hommes et donc à affirmer l'existence d'un style particulier et identifiable comme féminin, qui se distinguerait par ses qualités à la fois formelles et expressives et qui prendrait sa source dans la position et l'expérience spécifiques des femmes. À première vue, l'hypothèse paraît crédible : généralement, l'expérience et la position des femmes dans notre société, d'autant plus quand elles sont artistes, diffère de celle des hommes. L'art ainsi créé par un groupe de femmes consciemment rassemblées autour du projet délibéré de se forger une conscience collective fondée sur l'expérience féminine pourrait effectivement être identifié comme féministe, ou du moins féminin. Malheureusement, bien que ce phénomène fasse toujours partie du champ des possibles, il n'a pas encore eu lieu. Alors que les membres de l'École du Danube, les caravagesques, les peintres rassemblés autour de Gauguin à Pont-Aven, les membres du Blaue Reiter ou encore les cubistes peuvent être identifiés par certaines qualités expressives ou stylistiques clairement définies, la « féminité » ne saurait rassembler en un coup d'œil les styles des femmes artistes en général, pas plus qu'elle ne saurait rassembler ceux des écrivaines. Cette position est d'ailleurs défendue avec brio par Mary Ellmann dans son ouvrage *Thinking about Women*[4], qui contredit les poncifs les plus dévastateurs et mutuellement contradictoires émanant de la critique masculine. Aucune essence subtile de féminité ne semble réunir visuellement les œuvres d'Artemisia Gentileschi, Élisabeth Vigée Le Brun, Angelica Kauffmann, Rosa Bonheur, Berthe Morisot, Suzanne Valadon, Käthe Kollwitz, Barbara Hepworth, Georgia O'Keeffe, Sophie Taeuber-Arp, Helen Frankenthaler, Bridget Riley, Lee Bontecou ou Louise Nevelson, pas plus que celles de Sappho, Marie de France, Jane Austen, Emily Brontë, George Sand, George Eliot, Virginia Woolf, Gertrude Stein, Anaïs Nin, Emily Dickinson, Sylvia Plath ou Susan Sontag. À chaque fois, les femmes artistes ou les écrivaines semblent plus proches d'autres artistes et écrivains de leur époque et partageant leur vision qu'elles ne le sont les unes des autres.

Certains diront que les femmes artistes sont plus sujettes à l'introspection, plus délicates et nuancées dans l'usage de leur

médium artistique. Mais dans ce cas, qui, parmi les femmes
citées plus haut, se livre plus à l'introspection que Redon, fait un
usage plus subtil et nuancé des pigments que Corot ? Fragonard
est-il plus ou moins féminin qu'Élisabeth Vigée Le Brun ? Si
l'on ne juge tout le style Rococo du XVIIIe siècle français qu'à
l'aune d'un système binaire opposant « féminin » et « masculin »,
n'est-ce pas plutôt le féminin qui l'emporte ? En revanche, il
est certain que si l'on considère la délicatesse, la finesse et la
préciosité comme les marques d'un style féminin, on ne trouve
aucune de ces caractéristiques ni dans *Le Marché aux chevaux*
de Rosa Bonheur [p. 77], ni dans les immenses toiles de Helen
Frankenthaler. Et s'il est vrai que les femmes se sont souvent
tournées vers des scènes de genre de la vie domestique ou des
représentations d'enfants, c'est aussi le cas de Jan Steen, Chardin
et des impressionnistes – Renoir et Monet, autant que Morisot et
Cassatt. En tout état de cause, le simple fait de choisir un domaine
thématique ou de se limiter à certains sujets précis ne saurait en
rien définir un style, encore moins un style typiquement féminin.

Le problème ne tient pas tant à l'image que les féministes se
font de la féminité en tant que telle, mais plutôt à leur approche
erronée – souvent partagée par le grand public – de ce qu'est l'art :
une vision naïve selon laquelle l'art exprimerait directement et
personnellement l'expérience émotionnelle de l'individu, qu'il
serait une transcription visuelle de la vie intime. L'art n'est
presque jamais cela, le grand art encore moins. Le processus
de création artistique repose sur un langage formel obéissant
à sa propre logique – plus ou moins dépendant ou affranchi
des conventions, schémas et systèmes de notation donnés
d'une époque –, lesquels doivent être acquis et maîtrisés grâce

Elisabeth Vigée Le Brun, *Julie Le Brun (1780–1819) se regardant dans un miroir*, 1787.

Huile sur toile, 73 × 59,4 cm

à l'enseignement et l'apprentissage ou par une longue période d'expérimentation individuelle. D'un point de vue purement matériel, le langage de l'art s'incarne dans la couleur et dans la ligne tracée sur la toile ou le papier, gravée dans la pierre, l'argile, le plastique ou le métal. Ce n'est ni un mauvais mélo, ni une confidence murmurée.

Le fait est qu'il n'y a pas eu, à notre connaissance, de femme artiste de grandeur absolue, même s'il y en a eu beaucoup d'intéressantes et de très talentueuses qui ont été injustement méconnues et négligées ; de même qu'il n'y a pas eu de grands pianistes de jazz en Lituanie, ni d'Esquimaux joueurs de tennis, même si nous aurions souhaité qu'il en fût autrement. Les choses sont ainsi et c'est évidemment regrettable, mais nous ne changerons pas cet état de fait en manipulant la vérité historique ou critique, ni en incriminant un biais mâle et phallocrate de l'histoire. Le fait est, mes très chères sœurs, qu'il n'y a *pas* d'équivalent féminin à Michel-Ange ou Rembrandt, Delacroix ou Cézanne, Picasso ou Matisse et même, en des temps plus récents, à De Kooning ou Warhol, pas plus que ces deux derniers n'ont d'équivalents afro-américains. S'il y avait vraiment une infinité de femmes artistes restées dans l'ombre, ou si on devait véritablement appliquer des critères d'évaluation très différents selon qu'il s'agisse de l'œuvre d'une femme ou d'un homme – et il faut bien choisir, on ne peut pas gagner sur tous les tableaux –, alors pourquoi les féministes luttent-elles ? Si les femmes ont effectivement accédé au même statut que les hommes dans le monde de l'art, c'est donc que le *statu quo* convient en l'état.

Or, dans les faits nous le savons, la situation actuelle et passée dans les arts comme dans bien d'autres domaines est avilissante, oppressante et décourageante pour toutes celles et ceux qui n'ont pas eu la chance de naître blancs, préférablement bourgeois et, surtout, mâles. La faute, mes très chers frères, n'incombe pas à nos lignes de vie, nos hormones, nos cycles menstruels ou notre vacuité intérieure, mais bien à nos institutions et notre éducation – l'éducation englobant ici tout ce qui nous arrive dès lors que nous naissons à ce monde de symboles, de signes et de signaux. Finalement, il est presque miraculeux que malgré toutes les embûches rencontrées par les femmes ou les Noirs, elles et ils soient si nombreux à avoir atteint l'excellence dans ces domaines pourtant jalonnés de prérogatives masculines et blanches que sont les sciences, la politique et les arts.

C'est en commençant vraiment à penser les implications de la question « Pourquoi n'y a-t-il pas eu de grands artistes femmes ? » que l'on réalise progressivement à quel point notre conscience de l'état du monde est conditionnée et souvent falsifiée par la manière dont les questions importantes sont énoncées. Nous avons tendance à tenir pour acquis qu'il existe un « problème de l'Asie du Sud-Est », un « problème de la pauvreté », un « problème noir » – et un « problème de la femme ». Mais demandons-nous d'abord qui formule ces soi-disant « problèmes » et, partant de là, quels sont les objectifs de telles formulations. (Bien entendu, le souvenir des connotations que les Nazis mettaient dans le fameux « problème juif » pourra nous mettre la puce à l'oreille). Dans notre époque de communication instantanée, les « problèmes » sont promptement formulés comme tels pour soulager la mauvaise conscience de ceux qui les énoncent et qui détiennent le pouvoir : les Américains désignent ainsi le problème posé par eux au Vietnam et au Cambodge comme le « problème de l'Asie du

Sud-Est », alors que de manière plus réaliste, les populations de l'Asie du Sud-Est pourraient le percevoir comme un « problème américain » ; ledit « problème de la pauvreté » pourrait tout aussi bien être considéré comme un « problème de la richesse » par les habitants des ghettos urbains ou des déserts ruraux ; une même ironie vient retourner le « problème blanc » en « problème noir » ; et la même logique de renversement est à l'œuvre lorsque nous désignons notre propre situation aujourd'hui comme le « problème de la femme ».

Le « problème de la femme » – comme tous les problèmes humains, s'il faut les nommer ainsi (et l'idée même de traiter un humain de problème est bien évidemment récente), ne se prête à aucune « solution » puisque les problèmes humains nécessitent une réinterprétation de la nature de la situation, ou une altération radicale du postulat ou des objectifs *de la part des « problèmes »* *eux-mêmes*. La femme et sa place dans les arts, autant que dans les autres domaines d'activité, n'est donc pas un « problème » à considérer du point du vue de l'élite dominante, mâle et blanche. Au contraire, les femmes doivent s'envisager elles-mêmes comme des sujets potentiellement – si ce n'est véritablement – égaux des hommes ; elles doivent s'efforcer de regarder en face les faits qui déterminent leur situation, sans esquive ni auto-apitoiement. Dans cette même démarche, il leur revient de considérer leur position avec tout l'engagement émotionnel et intellectuel qu'il faut pour créer un monde dans lequel des réussites égales aux deux sexes seront non seulement rendues possibles mais aussi encouragées par les institutions de notre société.

De toute évidence, il n'est pas réaliste d'espérer – comme le font certaines féministes avec optimisme – qu'une majorité des hommes, dans les milieux artistiques et partout ailleurs, aura bientôt une illumination et se rendra subitement compte qu'il est aussi dans son intérêt d'accorder une égalité totale aux femmes. Il n'est pas non plus raisonnable d'affirmer que les hommes vont bientôt réaliser qu'ils s'entravent eux-mêmes en s'interdisant des domaines d'activité ou des sentiments traditionnellement vus comme « féminins ». Après tout, il existe peu de secteurs réellement interdits aux hommes, dès lors que leur intervention peut être synonyme de surpassement, de responsabilité et de gratification : les hommes qui sont à la recherche d'interactions avec des bébés ou des enfants, ce qui pourrait être considéré comme féminin, deviendront souvent pédiatres ou pédopsychiatres en étant secondés par une infirmière pour les soins de routine ; ceux qui font preuve de créativité en cuisine pourront s'illustrer en tant que chefs ; et bien entendu, les hommes qui souhaitent s'épanouir dans les domaines artistiques souvent considérés comme féminins pourront toujours devenir sculpteurs et peintres plutôt que bénévoles dans des musées ou céramistes à mi-temps, des activités menées le plus souvent par leurs homologues féminines ; pour ce qui est de la recherche universitaire enfin, combien d'hommes céderaient leur place d'enseignant-chercheur pour se rabattre sur un poste d'assistant à temps partiel non rémunéré ou de dactylo, qu'il faudrait combiner avec de la garde d'enfants à plein temps et du travail domestique ?

Inévitablement, ceux qui ont des privilèges s'y agrippent, et ils tiennent bon, si minimes puissent être les avantages dont ils jouissent, et ceci jusqu'à ce qu'ils se voient forcés de s'incliner devant une force supérieure, quelle qu'elle soit.

Dès lors, la question de l'égalité des sexes, dans l'art comme ailleurs, ne dépend plus de l'éventuel bon-vouloir ou de la malveillance des individus masculins, ni de la confiance en soi ou de la détresse des individus féminins, mais plutôt de la nature propre de nos structures institutionnelles et de la vision de la réalité qu'elles imposent aux êtres humains qui les composent. John Stuart Mill l'a souligné il y a plus d'un siècle : « Tout ce qui est habituel paraît naturel. La subordination de la femme à l'homme est une coutume universelle : une dérogation à cette coutume apparaît donc naturellement comme contre nature[5]. » La plupart des hommes, malgré leurs belles paroles sur l'égalité, rechignent à abandonner cet ordre des choses en apparence « naturel », dans lequel ils trouvent tant de privilèges. Pour les femmes, l'affaire est rendue encore plus compliquée par le fait que, comme Mill l'a si justement fait remarquer, contrairement aux autres groupes ou castes opprimés, les hommes attendent d'elles non seulement la soumission, mais aussi une affection sans réserve. Les femmes sont donc affaiblies par ces attentes qu'elles ont internalisées et qui émanent d'une société dominée par les hommes, mais aussi par une abondance de biens matériels et de commodités : la bourgeoise a beaucoup plus à perdre que ses chaînes.

La question « Pourquoi n'y a-t-il pas eu de grands artistes femmes ? » n'est que la partie émergée d'un iceberg fait de contresens et de malentendus. Sous la surface s'étend une grosse masse sombre d'idées reçues bancales sur l'art et ses implications, sur les capacités humaines en général et la perfection humaine en particulier, et sur le rôle que l'ordre social vient jouer dans tout cela. Même si nous considérons le « problème de la femme » en tant que tel comme un faux sujet, les idées reçues qui poussent à demander « Pourquoi n'y a-t-il pas eu de grands artistes femmes ? » pointent vers de vastes zones d'ombre de la pensée, bien au-delà des problèmes spécifiquement politiques et idéologiques engendrés par la sujétion des femmes. Cette question s'appuie sur des suppositions naïves, faussées et aveuglément admises sur le processus de création de l'art en général, et du grand art en particulier. Qu'elles soient conscientes ou inconscientes, ces suppositions tissent des liens discutables entre des superstars comme Michel-Ange et Van Gogh, Raphaël et Jackson Pollock, simplement parce qu'ils sont considérés comme « grands » – un titre de gloire attesté par les nombreuses monographies qui leur sont dédiées. Le Grand Artiste est bien sûr considéré comme détenteur du Génie ; lequel Génie est, en retour, perçu comme le pouvoir intemporel et mystérieux qui s'incarne dans la personne même du Grand Artiste[6]. De telles idées se fondent sur des présupposés métahistoriques incontestés et souvent inconscients. En comparaison, la formulation de race-milieu-moment par Hippolyte Taine sur les dimensions de la pensée historique passerait pour un modèle de délicatesse. Ces mêmes idées n'en sont pas moins intrinsèques à une grande partie des écrits en histoire de l'art. Ce n'est pas un hasard si la question cruciale des conditions *généralement* nécessaires à la création du Grand Art a été si peu étudiée, ou si jusqu'à très récemment encore, on a disqualifié les tentatives d'analyse d'un problème pourtant si global, en les considérant comme trop peu érudites, trop vastes ou rattachées à d'autres disciplines telles que la sociologie. Encourager une approche dépassionnée, impersonnelle, sociologique et centrée sur les institutions reviendrait à révéler le socle romantique, élitiste, prompt à glorifier l'individu et prolifique en monographies sur lequel repose toute la profession, et qui n'a été remis en question que très récemment par un groupe de jeunes dissidents.

De cette question de la femme artiste surgit donc le mythe du Grand Artiste. Sujet d'une centaine de monographies, unique et divinisé, il porte en lui depuis sa naissance une mystérieuse substance, un peu comme les boîtes de bouillon de poule instantané de la marque Mrs Grass qui contenaient une « pépite d'or », une capsule renfermant en fait l'assaisonnement et les aromates. Cette substance appelée Génie ou Talent finit toujours, comme le crime, par être révélée au grand jour, même dans les circonstances les moins favorables.

L'aura de magie qui entoure les arts visuels et leurs créateurs a bien sûr donné naissance à des mythes dès les temps les plus anciens. On notera avec intérêt que les capacités magiques attribuées par Pline au sculpteur grec Lysippe dans l'Antiquité – la mystérieuse vocation ancrée dans la plus tendre enfance, l'absence de tout enseignement si ce n'est celui de la Nature elle-même – le seront aussi à Courbet au XIXe siècle, par Max Buchon dans sa biographie du peintre. Les qualités prodigieuses de l'artiste comme imitateur de la Nature, sa maîtrise de dons puissants et parfois dangereux ont eu pour fonction de l'isoler dans l'histoire pour en faire un créateur divin, quelqu'un qui façonne l'Être à partir du néant. La légende de l'Enfant prodige souvent vêtu en humble berger et adoubé par un artiste plus âgé ou par un mécène avisé a nourri la mythologie artistique depuis que Vasari a immortalisé le jeune Giotto, découvert par le grand Cimabue alors que, gardant son troupeau, il dessinait un mouton sur une pierre ; Cimabue, submergé d'admiration devant le réalisme du dessin, a immédiatement invité le modeste pâtre à devenir son élève[7]. Par quelque étrange coïncidence, des artistes plus tardifs comme Beccafumi, Andrea Sansovino, Andrea del Castagno, Mantegna, Zurbarán et Goya ont eux aussi été découverts dans des circonstances pastorales. Et quand bien même le futur Grand Artiste n'avait pas la chance d'apparaître entouré de ses moutons, son talent semblait toujours se manifester très tôt, et indépendamment de tout encouragement extérieur. Filippo Lippi et Poussin, Courbet et Monet : de tous ces artistes, on a rapporté qu'ils dessinaient des caricatures dans les marges de leurs livres d'écolier au lieu de faire leurs devoirs. Bien entendu, on n'entend jamais parler de tous les jeunes qui ont négligé leurs études et gribouillé dans les marges de leurs cahiers sans jamais devenir plus que des commis de grand magasin ou des vendeurs de chaussures.

Le grand Michel-Ange lui-même, à en croire son élève et biographe Vasari, a plus dessiné qu'étudié lorsqu'il était enfant. Son talent était si évident, selon Vasari, que lorsque son maître Ghirlandaio quittait momentanément Santa Maria Novella où il travaillait à son œuvre, le jeune élève profitait de sa brève absence pour dessiner « les échafaudages, les tréteaux, les pots de peinture, les pinceaux et les apprentis au travail » ; il y parvenait si bien qu'à son retour, le maître s'exclamait : « Ce garçon en sait déjà plus que moi ! »

Souvent, de telles histoires, qui ont sans doute une part de vérité, servent autant à raconter qu'à perpétuer les attitudes qu'elles impliquent. Quelle que soit la base factuelle des mythes sur les manifestations précoces du Génie, la teneur de ces récits est trompeuse. Il est sans doute vrai, par exemple, que le jeune Picasso a réussi les épreuves d'admission à l'Académie des beaux-arts de

Barcelone puis à celle de Madrid à l'âge de quinze ans et en une seule journée, alors que la plupart des candidats avaient besoin d'un mois. Pourtant, on aimerait en savoir plus sur d'autres jeunes gens acceptés précocement dans les Académies des beaux-arts, mais qui ont ensuite sombré dans l'échec et la médiocrité – ceux qui, bien entendu, n'intéressent pas les historiens de l'art – ou analyser plus en détail le rôle joué par Picasso père, professeur de dessin, dans la précocité artistique de son fils. Et si Pablo Picasso était né fille ? Señor Ruiz aurait-il stimulé avec autant d'attention les ambitions de réussite de la petite Pablita ?

Ce qui est mis en avant dans tous ces récits, c'est la nature non sociale, non déterminée et apparemment miraculeuse de ces prouesses artistiques. Cette conception semi-religieuse du rôle de l'artiste tiendra de l'hagiographie au XIXᵉ siècle, quand les historiens de l'art, les critiques et rien de moins que certains artistes eux-mêmes chercheront à élever la création artistique au rang de religion de substitution, comme un ultime rempart des « Hautes Valeurs » dans un monde matérialiste. Selon cette « Légende dorée » version XIXᵉ siècle, l'artiste luttait contre les déterminismes parentaux et sociaux, endurant la fronde et les flèches de l'opprobre sociale comme tout bon martyre chrétien, et triomphait finalement contre vents et marées – souvent après sa mort, hélas – car au fond de lui brillait cette force divine et mystérieuse : le Génie. Ici, nous avons ce fou de Van Gogh, peignant ses tournesols malgré les crises d'épilepsie et un dénuement quasi total ; là, c'est Cézanne qui brave le rejet paternel et le dédain du public pour révolutionner la peinture, Gauguin qui fait fi de la respectabilité et de la sécurité financière dans un geste existentiel fort pour répondre à l'appel des Tropiques, ou encore Toulouse-Lautrec, nain, boiteux et alcoolique, qui sacrifie son héritage aristocratique aux bas-fonds sordides où il puise son inspiration, etc.

De nos jours, aucun historien de l'art sérieux ne prend pour argent comptant des fables si évidentes. Pourtant, malgré les quelques bribes d'attention accordées aux influences sociales, aux idées de l'époque, aux crises économiques et autres circonstances, c'est bien cette forme de mythologie sur la réussite artistique qui nourrit les hypothèses inconscientes ou incontestées des universitaires. Derrière les recherches les plus élaborées sur les grands artistes – et plus précisément derrière les monographies d'histoire de l'art qui considèrent comme essentielle l'idée de Grand Artiste et comme accessoires les « influences » ou le « contexte » que sont les structures sociales et institutionnelles dans lesquelles l'artiste a vécu et travaillé – se cache donc la fameuse théorie de la « pépite d'or » du Génie, ainsi qu'une conception de la réussite individuelle dominée par la liberté d'entreprendre. À partir de ce constat, l'absence de grands exploits féminins dans l'art peut être formulée comme un syllogisme : si les femmes avaient cette « pépite d'or » du Génie artistique, alors celle-ci se révélerait d'elle-même au grand jour. Or, elle ne s'est jamais révélée. Donc les femmes n'ont pas cette pépite d'or du Génie artistique. CQFD. Si Giotto le jeune berger anonyme l'a fait, si Van Gogh a réussi malgré ses crises, alors pourquoi pas les femmes ?

Pourtant, dès que nous laissons de côté le monde des contes merveilleux et des prophéties auto-réalisatrices, et que, à la place, nous nous forgeons un regard dépassionné sur les circonstances concrètes qui ont vu naître une importante production artistique, au cœur des structures sociales et institutionnelles tout au long de l'histoire, nous constatons que les questions importantes, celles qui s'avèrent riches et pertinentes pour l'historien, s'énoncent bien autrement. Nous pourrions nous demander, par exemple, à quelles classes sociales les artistes étaient plus susceptibles d'appartenir dans les périodes successives de l'histoire de l'art, à quels milieux et à quels sous-groupes. Quelle fut la proportion de peintres et de sculpteurs, ou plus précisément de peintres et sculpteurs majeurs, issus de familles dont le père ou d'autres proches parents exerçaient avant eux dans la peinture, la sculpture ou les métiers d'art ? Comme le souligne Nikolaus Pevsner au sujet de l'Académie française aux XVIIᵉ et XVIIIᵉ siècles, la transmission d'une profession artistique de père en fils était considérée comme allant de soi – ce fut le cas pour les Coypel, les Coustou, les Van Loo, etc. De fait, les fils d'académicien étaient exemptés de frais de leçons[8]. Malgré quelques cas marquants et réjouissants de jeunes révoltés ayant rejeté au XIXᵉ siècle l'autorité paternelle, force est de constater qu'aux époques où il était normal pour les fils de marcher dans les pas de leur père, la plupart des artistes, grands ou moins grands, avaient un père artiste. Parmi les artistes majeurs, les noms de Holbein et Dürer, Raphaël et Le Bernin, viennent immédiatement à l'esprit ; et pour des temps plus récents, on peut citer Picasso, Calder, Giacometti et Wyeth, tous issus de familles d'artistes.

Pour ce qui est de la relation entre profession artistique et rang social, la question « Pourquoi n'y a-t-il pas eu de grands artistes femmes ? » trouve un paradigme intéressant dans la réponse à une autre question : « Pourquoi n'y a-t-il pas eu de grands artistes aristocrates ? » Avant l'anti-traditionnel XIXᵉ siècle au moins, il est difficile de citer ne serait-ce qu'un artiste qui soit issu d'une classe sociale plus élevée que la grande bourgeoisie. Et même au XIXᵉ siècle, Degas provenait en réalité de la petite noblesse, un milieu finalement assez semblable à la grande bourgeoisie ; seul Toulouse-Lautrec, relégué à la marginalité par une difformité accidentelle, pouvait revendiquer un pedigree de très haute extraction.

Alors que la noblesse – que notre époque plus démocratique a remplacé par une aristocratie financière – a toujours fourni l'essentiel des effectifs chez les mécènes et les spectateurs du monde de l'art, elle a peu contribué à la production artistique en tant que telle, si ce n'est par quelques efforts amateurs ; et ceci malgré le fait que les aristocrates (comme bien des femmes) avaient plus que leur part de privilèges pour ce qui était de l'accès à l'instruction et aux loisirs et qu'en effet, comme les femmes, ils étaient volontiers encouragés à s'essayer aux arts, et même à s'épanouir en tant que respectables amateurs. La princesse Mathilde, cousine de Napoléon III, a par exemple exposé dans des Salons officiels, tandis que la reine Victoria, aux côtés du prince Albert, a acquis une formation poussée auprès d'un maître de grand prestige, Landseer. Est-il possible que la petite pépite d'or – le Génie – soit aussi étrangère au sang aristocratique qu'à la psyché féminine ? Plutôt que d'invoquer le génie et le talent, peut-être devrait-on supposer que les types d'exigences et d'attentes auxquelles devaient faire face les aristocrates et les femmes – le temps nécessairement dévolu aux civilités, la nature même des activités demandées – rendaient impossible, et même impensable, un dévouement total à l'art comme profession, à la fois pour les hommes des classes supérieures et pour les femmes en général ?

C'est seulement lorsque nous poserons les bonnes questions sur les conditions de la production artistique en général et du Grand Art en particulier que pourra survenir un débat qui portera sur les circonstances favorisant l'éveil de l'intelligence et du talent, et pas uniquement du génie artistique. Dans son épistémologie génétique, Piaget a, comme d'autres, souligné que dans le développement de la raison et dans le déploiement de l'imagination chez les jeunes enfants, l'intelligence – et donc ce que nous appelons couramment le Génie – est une activité dynamique plutôt qu'une essence statique, et qu'elle est l'activité d'un sujet en situation. Comme le montrent les études plus poussées sur le développement de l'enfant, ces capacités ou cette intelligence s'élaborent minutieusement, pas à pas, depuis la plus tendre enfance, et les schémas d'adaptation-accommodation apparaissent parfois si tôt au sein du « sujet-dans-son-environnement » qu'ils peuvent passer pour innés aux yeux d'un observateur peu avisé. Même en mettant de côté les raisons métahistoriques, de telles recherches supposent d'abandonner l'idée, conscientisée ou non, d'un Génie individuel inné et préalable à toute création artistique[9].

Jusqu'ici, la question « Pourquoi n'y a-t-il pas eu de grands artistes femmes ? » nous a menés à la conclusion que l'art n'est en aucun cas l'activité libre et autonome d'un individu surdoué, « influencé » en priorité par les artistes qui l'ont précédé et, de façon plus vague et superficielle, par des « forces sociales ». Nous déduisons plutôt que le contexte global propre à la création artistique – celle-ci étant liée au développement du sujet créateur ainsi qu'à la nature et à la qualité de l'œuvre d'art en elle-même – survient dans un certain paysage social, qu'il est l'un des éléments qui composent ce paysage social, qu'il est à la fois perpétué et déterminé par des institutions sociales spécifiques et identifiables, et qu'enfin, parmi ces institutions se trouvent les académies et les systèmes de mécénat, mais aussi les mythologies sur le créateur divinisé et sur l'artiste comme super-héros viril ou paria social.

La question du nu

Abordons maintenant notre question sous un angle plus rationnel, puisqu'il paraît probable que la raison de l'absence de grands artistes femmes ne se trouve ni dans la nature du génie individuel, ni dans le manque de ce dernier, mais bien dans la structure d'institutions sociales précises qui prodiguent interdictions et encouragements à des classes ou groupes d'individus variés. Examinons tout d'abord le problème simple et pourtant crucial de la disponibilité du modèle nu pour les femmes artistes en devenir sur une période allant de la Renaissance à la fin du XIXᵉ siècle. Au cours de cette période, l'étude minutieuse et prolongée du modèle nu était essentielle à la formation de tout jeune artiste, à la production de toute œuvre aspirant à la grandeur ainsi qu'à l'essence même de la peinture d'histoire que l'on considérait généralement comme la catégorie la plus noble en art. En effet, les défenseurs de la peinture traditionnelle au XIXᵉ siècle soutenaient qu'aucune grande peinture ne saurait représenter des personnages vêtus, puisque tout costume détruisait invariablement tout autant la temporalité universelle que l'idéalisation classique exigée par le Grand Art. Inutile de préciser que dès la naissance des académies à la fin du XVIᵉ et au début du siècle suivant, le dessin d'après modèle nu et généralement masculin a occupé une place centrale dans tous les programmes d'enseignement. Ajoutons à cela que les artistes invitaient souvent leurs élèves dans leur atelier pour des sessions privées de dessin d'après modèle. D'une manière générale, si les artistes et les académies privées employaient couramment des modèles femmes, le nu féminin est resté banni de presque toutes les écoles publiques d'art jusqu'à 1850 et même plus tard – un constat que Pevsner qualifie à raison d'« à peine croyable[10] ». Chose beaucoup plus admise malheureusement, le modèle nu aussi bien masculin que féminin était purement et simplement interdit aux élèves femmes. Jusqu'à 1893, « mesdames les étudiantes » n'étaient pas admises aux cours de dessin d'après modèle vivant à la Royal Academy de Londres ; et même lorsqu'elles le furent après cette date, le modèle se devait d'être « en partie drapé[11] ».

Passons en revue quelques représentations visuelles de séances d'après modèle vivant : une clientèle exclusivement masculine dessinant un nu féminin dans l'atelier de Rembrandt ; des hommes en train d'étudier le nu masculin dans des académies à Vienne et La Haye au XVIIIe siècle ; des hommes observant un individu nu assis dans la charmante peinture que Boilly consacre à l'atelier de Houdon au début du XIXe siècle. Dans *Intérieur de l'atelier de David*, le tableau d'un réalisme scrupuleux que Léon Matthieu Cochereau a présenté au Salon de 1814, un groupe de jeunes hommes dessinent ou peignent avec application un modèle nu masculin dont les chaussures sont posées au sol devant l'estrade.

Le fait que nous soit parvenue une pléthore d'« académies » – études laborieuses et détaillées du nu d'atelier – dans l'œuvre de

Johann Zoffany, *Les Académiciens de
la Royal Academy*, 1771–1772.

Huile sur toile, 101,1 × 147,5 cm

jeunesse d'artistes jusqu'à l'époque de Seurat et même jusqu'au début du xxᵉ siècle atteste de l'importance capitale de cette discipline dans la pédagogie et le développement du novice prometteur. Le programme académique formel suivait une certaine logique en commençant en principe par la copie de dessins et de gravures, en se poursuivant par le dessin d'après des moulages de sculptures illustres et en aboutissant au dessin d'après modèle vivant. Pour les femmes, se voir privées de cette ultime étape de la formation revenait donc à voir disparaître la possibilité de créer des œuvres majeures, à moins qu'elles ne soient capables de déployer des trésors d'ingéniosité ou qu'elles ne se cantonnent simplement, comme l'ont finalement fait la plupart des futures artistes femmes, aux champs « mineurs » qu'étaient le portrait, la peinture de genre, le paysage et la nature morte. Un peu comme un étudiant en médecine se voyant refuser la possibilité de disséquer ou même d'examiner le corps humain nu.

À ma connaissance, aucune représentation d'un groupe d'artistes dessinant un modèle nu n'inclut de femme dans un quelconque autre rôle que celui de modèle. Ceci nous en dit long sur les règles de la bienséance, à savoir : qu'il est acceptable pour une femme (de basse extraction, bien sûr) de se révéler nue-comme-un-objet devant un groupe d'hommes, mais qu'il est interdit pour une femme de prendre part activement à l'étude et à la représentation d'un homme-nu-comme-un-objet, ou même d'une autre femme. Ce tabou sur la confrontation entre une femme vêtue et un homme nu s'incarne de façon amusante dans un portrait de groupe des membres de la Royal Academy à Londres en 1772, que Zoffany représente rassemblés dans la salle de dessin d'après nature face à deux modèles masculins nus.

Dans l'atelier de dessin d'après nature de
Thomas Eakins à l'Académie de Pennsylvanie
vers 1855, une vache sert de modèle pour les
étudiantes en lieu et place d'un homme nu.

Tirage gélatino-argentique, 20,5 × 25,4 cm

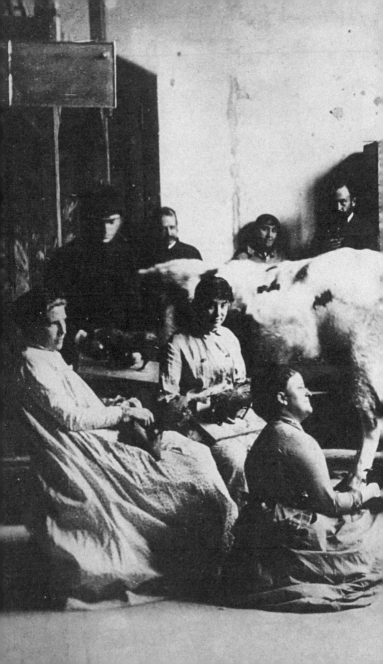

Tous les honorables membres sont présents, à une exception notable : pour satisfaire la décence, la seule sociétaire féminine, Angelica Kauffmann, n'est représentée qu'en effigie, sous la forme d'un portrait accroché au mur. À peine plus tôt dans l'histoire, le dessin *Femmes dans l'atelier* de l'artiste polonais Daniel Chodowiecki montre des dames portraiturant une de leurs homologues pudiquement vêtue. Dans une lithographie datant de la période de relative liberté qui a suivi la Révolution française, le graveur Marlet représente un groupe d'étudiants des deux sexes travaillant à l'esquisse d'un modèle masculin. Mais ce dernier a été chastement pourvu de ce qui semble être un caleçon de bain, vêtement qui porte assez difficilement à l'élévation classique. À n'en pas douter, une telle licence a dû être considérée comme bien audacieuse pour son temps, et les jeunes femmes en question suspectées de moralité douteuse. Il semble pourtant que même cet état de fait plutôt libéré n'ait duré qu'un temps. Dans une vue stéréoscopique couleur provenant d'Angleterre et représentant l'intérieur d'un atelier en 1865, le modèle barbu qui se tient debout est si lourdement drapé qu'à part une épaule et un bras, pas un centimètre carré de son anatomie ne dépasse de sa pudibonde toge ; et même là, il a bien sûr eu l'élégance de baisser les yeux devant ce parterre de jeunes dessinatrices en crinoline.

Les étudiantes de la classe de dessin d'après modèle vivant à l'Académie de Pennsylvanie n'avaient évidemment pas droit à ce privilège, si mince fût-il. Une photographie prise par Thomas Eakins autour de 1885 les montre en train de travailler d'après une vache (un taureau ? un bœuf ? Les parties basses sont obscures sur la photo), une vache nue, à n'en pas douter, ce qui constitue une liberté presque éhontée si l'on considère qu'à l'époque, même les pieds des pianos étaient recouverts par des sortes de culottes longues. L'idée d'ouvrir l'atelier des artistes au modèle bovin venait de Courbet qui fit poser un taureau dans son atelier lorsqu'il accueillit là des élèves pendant une très brève période dans les années 1860. Il faut attendre la toute fin du XIXe siècle, avec l'état d'esprit relativement ouvert et émancipé du peintre russe Ilia Répine et de son cercle, pour trouver des représentations d'étudiantes travaillant sans inhibition sur le nu – féminin, cela va de soi – en compagnie d'hommes. Même là, notons que certaines photographies représentent un groupe de dessinatrices réunies au domicile de l'une d'entre elles. Dans d'autres, le modèle est drapé. Quant au grand portrait de groupe, fruit du travail conjoint de deux étudiants et deux étudiantes de Répine, il s'agit en fait d'un rassemblement fictif de tous les élèves passés et actuels du célèbre réaliste russe plutôt que d'une véritable vue d'atelier.

Si j'ai abordé en détail ce problème de l'accès au modèle nu, qui n'est qu'une des facettes de la discrimination systématique et institutionnalisée à l'encontre des femmes, c'est simplement pour démontrer à la fois l'universalité de cette discrimination et de ses conséquences, et la nature plus institutionnelle qu'individuelle de ce qui ne constitue pourtant qu'une seule des étapes du long processus nécessaire pour maîtriser une discipline artistique, si ce n'est y exceller. J'aurais tout aussi bien pu m'intéresser à d'autres parties de ce contexte, en décrivant par exemple le système d'apprentissage, ou encore le modèle de l'enseignement académique qui, surtout en France, constituait presque la seule route possible vers le succès. Celui-ci obéissait à une progression régulière jalonnée de concours et culminant avec le prix de Rome, qui permettait au jeune lauréat d'aller exercer à l'Académie de France à Rome – chose évidemment impensable pour une femme. Les femmes n'ont eu le droit de concourir pour ce prix qu'à la fin du XIXᵉ siècle, période à laquelle l'ensemble du système académique avait de toute façon perdu de son importance. Si l'on prend la France du XIXᵉ siècle pour exemple, pays dans lequel la part de femmes artistes était probablement plus importante que partout ailleurs – si l'on en croit plus précisément leur pourcentage parmi les artistes exposant au Salon –, il paraît évident que « les femmes n'étaient pas acceptées comme des peintres de métier[12] ». Au milieu du siècle, un artiste sur trois était une femme : cette statistique à peine encourageante s'avère franchement décevante quand on découvre que sur cette proportion déjà bien maigre, aucune femme n'a emprunté cette voie royale vers le succès qu'était l'École des beaux-arts, qu'elles ne furent que 7 % à décrocher une quelconque commande publique ou à occuper une fonction officielle – même en comptant les tâches subalternes –, qu'elles ne furent que 7 % à recevoir une médaille lors d'un Salon, et qu'aucune n'a jamais obtenu la Légion d'honneur[13]. Dans un contexte où les femmes étaient privées de soutien, de structures d'enseignement et de récompenses, il est presque incroyable qu'une part d'entre elles, si infime soit-elle, ait persévéré et cherché à se faire une place dans les professions artistiques.

On voit aussi mieux comment la littérature a fourni aux femmes de bien meilleures armes pour se mesurer aux hommes et même pour se montrer novatrices. Tandis que les arts plastiques ont toujours traditionnellement exigé l'apprentissage de techniques et de compétences spécifiques selon un certain ordre et dans un contexte institutionnel extérieur à la maison, ainsi que la familiarisation avec une grammaire spécifique d'iconographies et de motifs, il n'en est rien pour la poésie ou le roman. Quiconque, même une femme, doit apprendre le langage, peut apprendre à lire et à écrire et peut coucher sur le papier ses expériences personnelles dans l'intimité d'une chambre à soi. Cette comparaison simplifie à outrance les réelles difficultés qu'implique la création de bonnes et grandes œuvres littéraires par des hommes ou par des femmes, mais elle nous explique aussi comment Emily Brontë ou Emily Dickinson ont pu exister sans avoir d'équivalents dans les arts visuels, du moins jusqu'à récemment.

Nous ne sommes même pas allés jusqu'à évoquer les compétences plus périphériques qu'on attendait des artistes majeurs et auxquelles, généralement, les femmes n'auraient de toute façon jamais pu prétendre, tant physiquement que socialement, dans l'hypothèse bien sûr qu'elles aient atteint l'excellence requise dans leur spécialité. Dès la Renaissance et jusqu'à tard, en plus de prendre part aux affaires d'une académie, le grand artiste pouvait entretenir des liens étroits avec les membres de cercles humanistes avec lesquels il échangeait des idées, il pouvait devenir l'intime des mécènes, voyager à sa guise, et pourquoi pas s'essayer à la politique et aux intrigues. Ajoutons à cela l'organisation et l'habileté requises pour faire fonctionner un atelier-usine comme celui de Rubens. Pour un grand *chef d'école* qui devait à la fois mettre la touche finale aux peintures et contrôler l'instruction de ses nombreux élèves et assistants, il fallait avoir une dose certaine de confiance en soi et connaître finement le monde, mais il fallait aussi se sentir naturellement légitime à exercer le pouvoir.

La réussite de ces dames

Face au *chef d'école* dont on exige ténacité et engagement, on trouve le portrait de la « femme peintre » tel qu'il est dressé dans les guides d'étiquette du XIXe siècle et renforcé par la littérature de l'époque. Ce qui entrave encore et toujours la véritable réussite des femmes, c'est précisément un entêtement à définir un amateurisme compétent mais modeste et finalement humiliant comme l'« accomplissement convenable » pour toute jeune femme bien élevée, qui oriente naturellement ses efforts vers le bien-être des autres, sa famille et son mari. C'est ce même entêtement qui transforme l'engagement sérieux en complaisance frivole, en activité vaine voire en pure ergothérapie, et aujourd'hui plus que jamais, comme un dernier bastion périphérique de la mystique féminine, c'est lui qui cherche à dénaturer complètement l'idée de ce qu'est l'art et la fonction sociale qu'il occupe. Dans *The Family Monitor and Domestic Guide* de Mrs. Ellis, un manuel de savoir-vivre publié dans la première moitié du XIXe siècle et qui fut très populaire à la fois en Angleterre et aux États-Unis, les femmes étaient mises en garde contre l'écueil de vouloir en faire trop pour exceller en quoi que ce soit :

« N'allons pas croire ici que l'auteur prônerait comme essentiel l'accès des femmes à un degré extraordinaire d'accomplissement intellectuel, surtout si elles s'en tiennent à un champ d'étude spécifique. "J'aimerais être excellente dans telle ou telle chose" est une expression fréquente et finalement louable dans une certaine mesure : mais d'où provient-elle, et vers quoi tend-elle ? *Se montrer capable de faire une myriade de choses convenablement, cela a infiniment plus de valeur pour une femme que d'exceller dans*

une seule. Dans le premier cas, elle se rendra généralement utile ;
dans le second, elle brillera pour une heure tout au plus. En étant
apte et convenablement qualifiée en tout, elle se tirera avec aisance
et dignité de toutes les situations de la vie – en consacrant son temps
à l'excellence en une seule chose, elle restera incapable d'accomplir
toutes les autres.

L'intelligence, l'apprentissage et le savoir ne sont souhaitables
que dans la mesure où ils guident la femme vers l'excellence
morale, et pas autrement. *Quels qu'en soient l'attrait et l'éclat, elle*
doit fuir comme la peste tout ce qui occupe ses pensées au point d'exclure
de plus chastes activités, tout ce qui l'attire dans les méandres de la
flatterie et de l'admiration, tout ce qui détourne ses pensées des autres
pour les concentrer sur elle-même. [les italiques sont de moi][14] »

De tels propos prêtent à rire aujourd'hui. Et pourtant,
retournons lire quelques exemples plus récents mais porteurs
d'un message en tous points similaire rapportés par Betty Friedan
dans *La Femme mystifiée*[15] ou tirés de certains numéros récents
de magazines féminins populaires.

Les conseils de ce genre nous sont familiers : on les retrouve
chez certains freudiens et dans certaines ritournelles des sciences
sociales sur la personnalité bien équilibrée, les carrières de femmes
dirigeantes, le mariage ou le manque de féminité que représente
le dévouement total au travail plutôt qu'au sexe. Tous sont autant
de piliers de cette « mystification féminine ». Ce point de vue
met l'homme à l'abri d'une compétition indésirable dans ses
activités professionnelles dites « sérieuses » et lui garantit une
assistance « harmonieuse » à la maison, de sorte qu'il peut jouir
d'une vie familiale et sexuelle tout en concrétisant pleinement
l'excellence des talents qui lui sont propres.

Quant à la pratique de la peinture pour les jeunes femmes, Mrs Ellis lui trouve un avantage immédiat sur la branche artistique rivale qu'est la musique : c'est silencieux et cela ne gêne personne (cette qualité en creux ne vaut pas, évidemment, pour la sculpture, mais l'épanouissement avec le marteau et le burin à la main serait de toute façon malvenu pour le sexe faible). Par ailleurs, nous apprend Mrs Ellis, « cela [le dessin] constitue une tâche qui libère l'esprit de bien des soucis […]. De toutes les occupations, le dessin est le plus adapté pour empêcher l'esprit de se tourner vers lui-même et pour maintenir cette gaieté générale qui fait partie du devoir domestique et social ». Elle ajoute : « il peut aussi être mis de côté et repris selon les circonstances ou l'envie, et ceci sans dommage sérieux[16]. » Et au cas où nous pensions avoir fait des progrès dans ce domaine depuis un siècle, je rapporte la remarque d'un jeune et brillant docteur qui, alors qu'on l'interrogeait sur les divertissements artistiques de sa femme et ses amies, bougonna : « Disons qu'au moins, ça les empêche de faire des bêtises. » Aujourd'hui comme au XIXᵉ siècle, l'amateurisme et le manque d'ambition artistique, le snobisme et l'envie des femmes d'avoir l'air chic grâce à leurs loisirs nourrissent le mépris des hommes qui s'impliquent dans un « vrai » travail artistique et y trouvent du succès. De manière parfois légitime, certains montrent du doigt le manque de sérieux de leur femme dans sa pratique artistique. Pour ces hommes-là, le « vrai » travail des femmes s'arrête à ce qui concerne directement ou indirectement la famille ; toute autre occupation tombe au mieux dans le registre du divertissement, de l'égoïsme et de l'égocentrisme. Au pire, elle est tacitement considérée comme castratrice. Ainsi le philistinisme et la frivolité se renforcent-il l'un l'autre pour aboutir à ce cercle vicieux.

Emily Mary Osborn,
Seule et anonyme, 1857.

Huile sur toile, 82,5 × 103,8 cm

Maurice Bompard,
Un début à l'atelier, 1881.

Huile sur toile, 225 × 422 cm

Il en va de la littérature comme de la vie, et même lorsqu'une femme s'engage pleinement dans une carrière artistique, on attend d'elle qu'elle abandonne tout au nom de l'amour et du mariage : aujourd'hui comme au XIXe siècle, cette leçon est directement ou indirectement inculquée aux filles dès leur naissance. Dans *Olive*, le roman sur la réussite artistique d'une jeune femme que Mrs Craik a écrit au milieu du XIXe siècle, l'héroïne éponyme est déterminée et talentueuse ; elle vit seule, se bat pour devenir célèbre et indépendante et parvient effectivement à vivre de son art. Ce comportement bien peu féminin est expliqué en partie par une infirmité qui la pousse à croire que le mariage ne sera pas pour elle. Pourtant, même Olive finit par succomber aux sirènes de l'amour et du mariage. Pour paraphraser Patricia Thomson dans *The Victorian Heroine*, Mrs Craik, après avoir mis toute son énergie à nous convaincre de la grandeur ultime de son héroïne, se contente finalement de la laisser sombrer doucement dans le mariage. « Au sujet d'*Olive*, Mrs Craik déclare imperturbablement que la présence de son mari aura eu pour effet principal de priver la Scottish Academy d'"on ne sait combien de grands tableaux"[17]. » Aujourd'hui comme hier, malgré la plus grande « tolérance » des hommes, les femmes semblent encore tenues de choisir entre mariage et carrière, c'est-à-dire entre la solitude comme rançon du succès *ou* le renoncement professionnel comme rançon de la sexualité et de la vie de couple.

Que cet accomplissement dans les arts ou dans tout autre domaine exige des efforts et des sacrifices, personne ne le nie ; que cela ait été plus vrai encore après le milieu du XIXe siècle quand les institutions ancestrales du mécénat et du soutien aux arts ont cessé de remplir leurs rôles habituels, c'est également

Berthe Morisot, *Eugène Manet
à l'île de Wight*, 1875.

Huile sur toile, 38 × 46 cm

indéniable. Delacroix, Courbet, Degas, Van Gogh et Toulouse-Lautrec sont autant d'exemples de grands artistes qui ont mis de côté, du moins en partie, les distractions et les obligations liées à la vie de famille pour suivre leur carrière artistique en toute liberté. Mais en contrepartie de ce choix, aucun d'entre eux ne s'est vu refuser les plaisirs de la chair et de la vie de couple. Aucun non plus n'a considéré qu'il avait sacrifié sa virilité ou son rôle sexuel sur l'autel du célibat ou de l'indépendance pour accéder à l'épanouissement professionnel. En revanche, si un seul de ces artistes avait été une femme, mille ans de culpabilité, de remise en cause personnelle et de réification seraient venus s'ajouter aux difficultés indéniables qu'il y a à être artiste dans le monde moderne.

Le tableau d'Emily Mary Osborn, *Seule et anonyme* (1857) [p. 59] nous fournit un exemple de l'atmosphère douteuse qui entoure toute représentation visuelle d'une femme artiste en herbe au milieu du XIXᵉ siècle. La toile représente une jeune fille pauvre mais respectable chez un marchand d'art londonien, attendant nerveusement le verdict de l'arrogant propriétaire sur la valeur de ses toiles pendant que deux « amateurs d'art » la déshabillent du regard. Par ses sous-entendus, la scène est finalement assez similaire à l'œuvre ouvertement salace de Bompard, *Un début à l'atelier* [p. 58]. Les deux toiles traitent de l'innocence, la délicieuse innocence féminine exposée au monde. Dans celle d'Osborn, le vrai sujet n'est pas la valeur du travail de la jeune artiste ni la fierté qu'elle y met, mais la charmante *vulnérabilité* de la jeune femme, celle-là même que l'on retrouve chez le modèle hésitant de Bompard. Comme toujours, il s'agit plus de sexe que de choses sérieuses. Toujours

modèle, jamais artiste : telle aurait pu être la devise de toute jeune femme cherchant à se faire un nom dans les arts au XIXᵉ siècle.

Réussir

Mais qu'en est-il de cette petite bande de femmes héroïques qui, à travers les âges, et malgré les obstacles, ont gravi les échelons, à défaut d'atteindre les sommets de grandeur d'un Michel-Ange, d'un Rembrandt ou d'un Picasso ? Peut-on discerner chez elles des qualités qui les ont caractérisées en tant que groupe et individuellement ? À défaut de pouvoir mener une enquête détaillée à ce propos dans cet article, nous pouvons relever quelques caractéristiques fondamentales communes aux femmes artistes en général : toutes, presque sans exception, avaient un père artiste, ou entretenaient *a minima*, souvent aux XIXᵉ et XXᵉ siècles, un lien étroit avec un artiste à la personnalité plus forte et dominante. Ces deux caractéristiques ne sont d'ailleurs pas forcément absentes chez les artistes masculins, comme nous l'avons indiqué plus haut pour les artistes pères et fils. Simplement, on retrouve ce lien chez presque toutes les artistes femmes sans exception, au moins jusqu'à récemment. De la sculptrice légendaire du XIIIᵉ siècle Sabina von Steinbach, qui selon la tradition locale aurait sculpté des groupes pour le portail Sud de la cathédrale de Strasbourg, jusqu'à Rosa Bonheur, la peintre animalière la plus réputée du XIXᵉ siècle, en passant par d'éminentes artistes comme Marietta Robusti – fille du Tintoret –, Lavinia Fontana, Artemisia Gentileschi, Élisabeth Chéron, Élisabeth Vigée Le Brun et Angelica Kauffmann –, toutes étaient filles d'artiste ; au XIXe siècle, Berthe Morisot était très liée à Manet avant d'épouser le frère de ce dernier, et Mary Cassatt s'est inspirée du style de son ami Degas dans beaucoup de ses œuvres. La rupture avec les liens traditionnels et avec les pratiques ancestrales qui a permis aux artistes masculins de suivre d'autres voies que celles tracées par leur père dans la seconde moitié du XIXe siècle a également donné aux femmes, avec des difficultés supplémentaires bien sûr, la possibilité de s'affranchir. Parmi les artistes femmes plus récentes, nombreuses sont celles qui – comme Suzanne Valadon, Paula Modersohn-Becker, Käthe Kollwitz ou Louise Nevelson – ne viennent pas de milieux artistiques, même si beaucoup d'artistes contemporaines ou récentes ont épousé des collègues artistes.

Il serait intéressant d'étudier le rôle tantôt mineur, tantôt vraiment incitatif des pères dans la formation de femmes artistes de métier : par exemple, Käthe Kollwitz et Barbara Hepworth ont toutes les deux évoqué l'influence d'un père qui a su se montrer exceptionnellement attentif et encourageant à l'égard de leurs progrès artistiques. En l'absence de toute recherche approfondie sur le sujet, nous ne pouvons que nous contenter de données éparses sur l'adhésion à l'autorité paternelle ou la rébellion chez les artistes femmes puis observer qui, des hommes ou des femmes, semble avoir résisté le plus fermement à cette autorité. Une chose est claire cependant : aujourd'hui comme hier, pour qu'une femme choisisse une quelconque carrière, *a fortiori* une carrière artistique, il lui faut une certaine dose d'anticonformisme. Peu importe qu'une femme artiste s'oppose à l'attitude de sa famille ou qu'elle y puise sa force, elle doit dans tous les cas porter en elle le feu de la révolte si elle veut se frayer un chemin dans le monde de l'art plutôt que se soumettre aux seuls rôles d'épouse et de mère que la société et les institutions lui prescrivent systématiquement. Ce n'est qu'en adoptant, même furtivement, les attributs dits « masculins » que sont l'indépendance de pensée, la concentration, la ténacité et la capacité à se consacrer pleinement aux idées et au savoir-faire dans leur propre intérêt que les femmes ont réussi et continuent de réussir dans le monde de l'art.

Rosa Bonheur

Il me semble instructif d'étudier ici plus en détail l'une des femmes peintres les plus talentueuses et accomplies de son temps, Rosa Bonheur (1822-1899). Son œuvre, dont la réputation a subi les ravages de l'évolution des goûts et d'un certain manque de variété de sa part, compte cependant toujours comme une réussite impressionnante pour quiconque s'intéresse à l'art du XIXᵉ siècle et à l'histoire du goût en général. En partie à cause de sa grande notoriété, Rosa Bonheur est une artiste chez qui tous les conflits divers et variés, toutes les contradictions et luttes internes et externes propres à son genre et à son métier ressortent avec une grande acuité.

Son succès démontre clairement que les institutions et leur évolution tiennent un rôle nécessaire, sinon suffisant, pour réussir dans le domaine artistique. On peut considérer que Rosa Bonheur a choisi le bon moment pour devenir artiste, quitte à avoir, de toute façon, le handicap d'être née femme : elle a tracé sa propre route au milieu du XIXᵉ siècle, époque à laquelle le conflit qui opposait la traditionnelle peinture d'histoire aux registres plus modestes et plus libres de la peinture de genre, du paysage et de la nature morte était emporté haut la main par ces derniers. Une mutation profonde dans le soutien privé et institutionnel à l'art était également en marche : avec la montée en puissance de la bourgeoisie et le déclin d'une aristocratie cultivée, les petites peintures représentant souvent des sujets du quotidien, plutôt que des scènes grandioses tirées de la mythologie ou de la religion, devinrent très demandées. Comme l'écrivent Harrison et Cynthia White : « Qu'il y ait eu trois-cents musées de province, qu'il y ait eu des commandes institutionnelles pour des œuvres publiques, soit ; mais les seules destinations rentables pour le flot grandissant des toiles étaient les maisons de la bourgeoisie. La peinture d'histoire n'avait jamais été et ne serait jamais à son aise dans les salons de la classe moyenne. Les formes "moindres" d'images artistiques – genre, paysage, nature morte – l'étaient[18]. » Dans la France du milieu du XIXe siècle comme dans la Hollande du XVIIe siècle, les artistes cherchaient à acquérir une certaine sécurité dans un marché instable en se spécialisant, en bâtissant une carrière sur un sujet spécifique : la peinture animalière était un domaine très populaire, comme l'ont remarqué les White, et Rosa Bonheur fut certainement celle qui l'exerçait avec le plus de talent, suivie en réputation par Troyon, un peintre de l'École de Barbizon qui finit par être si demandé pour ses peintures de vaches qu'il engagea un autre peintre pour s'occuper des arrière-plans. Rosa Bonheur accéda à la gloire en même temps que les peintres paysagers de Barbizon, soutenus par des marchands bien avisés, les Durand-Ruel, qui jetèrent ensuite leur dévolu sur les impressionnistes. Pour reprendre la terminologie des White, les

Durand-Ruel furent parmi les premiers marchands à investir le marché en plein essor du « décor mural temporaire pour la classe moyenne ». Le naturalisme de Rosa Bonheur et sa capacité à saisir l'individualité – voire l'« âme » – de chacun de ses sujets animaliers a coïncidé avec le goût bourgeois de l'époque. Le même alliage de qualités, mais assorti d'une dose plus grande de sentimentalisme, et même d'illusion anthropomorphique, a également assuré le succès à l'un de ses contemporains animaliers en Angleterre, Landseer.

Fille d'un professeur de dessin sans-le-sou, Rosa Bonheur a naturellement montré un intérêt précoce pour l'art ; en même temps, l'indépendance d'esprit et la liberté de manières dont elle faisait preuve lui ont d'emblée valu l'étiquette de garçon manqué. Selon ses propres dires, ses « revendications masculines » s'étaient manifestées bien vite, mais il est difficile de savoir si *toute* forme de persévérance, de ténacité et de vigueur était considérée comme masculine dans la première moitié du XIXᵉ siècle. L'attitude de Rosa Bonheur envers son père était toutefois teintée d'une certaine ambiguïté : alors qu'elle admettait l'influence qu'il avait pu avoir en la confortant dans le choix du métier qu'elle exerça toute sa vie, elle lui reprochait clairement le comportement indélicat qu'il avait envers sa mère tant aimée et, si l'on en croit ses souvenirs, elle moquait gentiment son idéalisme social un peu excentrique. Raimond Bonheur a pris une part active à la courte existence de la communauté saint-simonienne, fondée dans les années 1830 par le « Père Enfantin » à Ménilmontant. Si plus tard dans sa vie, Rosa Bonheur s'est amusée des quelques excentricités les plus farfelues dues aux membres de la communauté et si elle a désapprouvé le fardeau supplémentaire que les principes de son père ont fait peser sur sa mère déjà surmenée, il est évident que l'idéal saint-simonien d'égalité entre les sexes – ils désapprouvaient le mariage, les femmes portaient le pantalon en signe d'émancipation et leur guide spirituel, le Père Enfantin, a déployé des efforts considérables pour trouver une Messie Femme avec qui partager son règne – fit forte impression sur elle pendant l'enfance, et a peut-être influencé sa conduite future.

« Pourquoi ne serais-je pas fière d'être femme ? » s'exclamat-elle lors d'un entretien. « Mon père, cet apôtre enthousiaste de l'humanité, m'a bien des fois répété que la mission de la femme était de relever le genre humain et qu'elle était le Messie des siècles futurs. Je dois à ses doctrines la grande et fière ambition que j'ai conçue pour le sexe auquel je me fais gloire d'appartenir et dont je soutiendrai l'indépendance jusqu'à mon dernier jour [19]. » À peine sortie de l'enfance, son père lui avait déjà insufflé l'ambition de surpasser Élisabeth Vigée Le Brun, certainement l'exemple le plus éminent qu'elle aurait pu suivre, et il lui prodigua les plus vifs encouragements dès ses premiers efforts. Au même moment pourtant, le spectacle de sa mère déclinant lentement et sans plainte sous le poids de l'épuisement au travail et de la pauvreté dut avoir une influence plus concrète encore sur sa décision de contrôler son propre destin et de ne jamais devenir l'esclave d'un mari ni d'enfants. Ce qui est particulièrement intéressant à observer du point de vue du féminisme moderne, c'est la capacité de Rosa Bonheur à combiner la rébellion masculine la plus vigoureusement décomplexée avec des affirmations relevant parfois de la féminité la plus simpliste sans s'embarrasser des contradictions.

Grâce à l'agréable limpidité de son époque pré-freudienne, Rosa Bonheur pouvait expliquer à sa biographe qu'elle n'avait jamais voulu se marier de peur d'y laisser son indépendance – trop de jeunes filles se font conduire à l'autel comme les agneaux au sacrifice, affirmait-elle. Pourtant, tout en se refusant elle-même au mariage, tout en prédisant une inévitable perte d'individualité aux femmes qui s'engageaient dans cette voie, elle considérait – contrairement aux saint-simoniens – le mariage comme un « sacrement indispensable à l'organisation de la société ».

Si elle a froidement décliné plusieurs demandes en mariage, elle s'est en revanche engagée toute sa vie dans une relation apparemment platonique et sans nuages avec une autre femme artiste, Nathalie Micas, auprès de qui elle semble avoir trouvé la compagnie et la chaleur émotionnelle dont elle avait besoin. Bien sûr, cette amie compréhensive n'a pas exigé qu'elle sacrifie son engagement authentique envers l'art, ce qu'aurait fait un mari : d'une manière générale, à une époque où il n'y avait pas de contraception fiable, les avantages de ce type d'arrangements s'imposaient d'eux-mêmes pour celles qui souhaitaient éviter de se laisser distraire par la maternité.

Pourtant, alors même qu'elle rejetait catégoriquement le rôle conventionnel dévolu aux femmes de son époque, Rosa Bonheur semble avoir été touchée par ce que Betty Friedan a appelé le « syndrome du chemisier à froufrous », cette version inoffensive de la revendication féminine qui, encore aujourd'hui, pousse de remarquables femmes psychiatres ou professeurs à adopter les atours de l'ultra-féminité ou à vanter leurs prouesses en pâtisserie[20]. Bien qu'elle ait très tôt coupé ses cheveux court et porté des vêtements d'homme au quotidien selon l'exemple de George Sand, dont le romantisme bucolique a exercé une puissante influence sur son imaginaire, elle souligna auprès de sa biographe, en y croyant sans doute sincèrement, qu'elle le faisait uniquement à cause des contraintes spécifiques de son métier. Réfutant avec indignation les rumeurs voulant qu'elle ait couru les rues de Paris habillée en garçon dans sa jeunesse, elle montra fièrement à son interlocutrice un daguerréotype d'elle à seize ans, vêtue selon les codes de la mode féminine, à part pour ses cheveux courts, résultant, à l'en croire, d'une décision purement pratique prise après la mort de sa mère : « Qui aurait pu prendre soin de mes boucles ? » arguait-elle[21].

Quant à l'habit masculin, elle fut prompte à récuser les suppositions de sa biographe qui voyait dans ses pantalons un symbole d'émancipation. « Je blâme énergiquement les femmes qui renoncent à leur vêtement habituel dans le désir de se faire passer pour des hommes », affirmait-elle. « Si j'avais trouvé que les pantalons convinssent à mon sexe, j'aurais délaissé complètement les jupes, mais ce n'est pas le cas, aussi n'ai-je jamais conseillé à mes sœurs de la palette de porter des habits d'homme dans les circonstances ordinaires de la vie. Si cependant vous me voyez vêtue comme je le suis, ce n'est pas le moindre du monde dans le but de me rendre originale, ainsi que trop de femmes l'ont fait, mais tout simplement pour faciliter mon travail. Songez qu'à une certaine époque je passais des journées entières aux abattoirs. Oh ! Il faut avoir le culte de son art pour vivre dans des mares de sang […] J'avais aussi la passion des chevaux ; or, où peut-on mieux étudier ces animaux que dans les foires et mêlée aux maquignons ? Force m'était bien de reconnaître que les vêtements de mon sexe étaient une gêne de tous les instants. C'est pourquoi je me suis décidée à solliciter du préfet de Police l'autorisation de porter des habits masculins[22]. Mais le costume que je porte est ma tenue de travail, et rien autre chose. Les quolibets des imbéciles ne m'ont jamais troublée. Nathalie [sa compagne] s'en moquait autant que moi. Cela ne la gênait aucunement de me voir habillée comme un homme, mais si vous en êtes offusquée le moins du monde, je suis toute prête à mettre des jupes, d'autant que je n'ai qu'à ouvrir un placard pour trouver tout un assortiment de costumes féminins[23]. »

Rosa Bonheur se voit cependant forcée d'admettre dans un même élan : « Mes pantalons ont été pour moi des grands protecteurs […] Bien des fois je me suis félicitée d'avoir osé rompre avec des traditions qui m'auraient condamnée, faute de pouvoir traîner mes jupes partout, à m'abstenir de certains travaux. » Mais la célèbre artiste se sent une nouvelle fois obligée de nuancer son honnête aveu avec une « féminité » mal assumée : « En dépit de mes métamorphoses de costume, il n'y a pas de fille d'Ève qui apprécie plus que moi les nuances : ma nature brusque et même un peu sauvage n'a jamais empêché mon cœur de rester toujours parfaitement féminin[24]. »

Il y a quelque chose d'assez pathétique à ce qu'une artiste pourtant couronnée d'un tel succès, qui ne s'est pas économisée à la tâche dans l'étude de l'anatomie animale, qui a traqué ses sujets bovins ou équins dans les environnements les plus hostiles, qui a inlassablement produit des toiles populaires tout au long d'une prolifique carrière, qui s'est montrée assurée et indéniablement masculine dans son style, a été lauréate d'une première médaille au Salon de Paris, officier de la Légion d'honneur, commandeur de l'ordre d'Isabelle la Catholique et de

Rosa Bonheur, *Le Marché aux chevaux,*
1852–1855.
Huile suir toile, 244,5 × 506,7 cm

l'ordre de Léopold de Belgique, amie de la reine Victoria – que
cette artiste mondialement connue donc, se soit sentie obligée
dans ses vieux jours de justifier et de nuancer son incursion
parfaitement raisonnable dans les usages masculins, on ne sait
pour quelle raison, et qu'en même temps elle ait cru souhaitable
d'attaquer ses consœurs qui portaient le pantalon avec plus
d'aplomb, tout ceci pour apaiser les tourments de sa propre
conscience. Car sa conscience, malgré un père à l'écoute, malgré
son anticonformisme et la consécration apportée par un succès
mondial, la condamnait toujours pour n'être pas une femme
suffisamment « féminine ».

Les difficultés que font peser de telles attentes sur les femmes
artistes continuent aujourd'hui encore à dresser de nouveaux
obstacles devant une entreprise déjà difficile. Prenons pour
exemple une de nos célèbres contemporaines, Louise Nevelson,
qui s'est consacrée de manière totale et bien peu féminine à son

travail tout en arborant un attirail de faux cils ostensiblement
féminins : de son propre aveu, elle s'est mariée à dix-sept ans
malgré la certitude qu'elle ne pourrait pas vivre sans créer
parce que « le monde entier vous enjoignait de vous marier[25] ».
Même pour ces deux artistes d'exception – et qu'on aime ou
pas *Le Marché aux chevaux*, on ne peut qu'admirer la réussite de
Rosa Bonheur –, cette petite ritournelle de la femme mystifiée
servie avec son assortiment de narcissisme et de culpabilité
ambivalents intériorisés, vient subtilement diluer et subvertir
cette confiance en soi totale, cette absolue certitude ainsi que
cette autodétermination du point de vue moral et esthétique
qu'exigent les plus grandes œuvres d'art novatrices.

Conclusion

En examinant les fondements intellectuels fallacieux sur lesquels
repose la question « Pourquoi n'y a-t-il pas eu de grands artistes
femmes ? », en interrogeant la validité de la formulation de soi-
disant « problèmes » en général et du « problème de la femme »
en particulier, puis en réévaluant les limites de l'histoire de l'art
elle-même en tant que discipline, nous avons tenté ici d'épuiser
l'une des questions les plus vivaces brandies pour remettre en
cause la demande émise par les femmes d'une égalité qui soit
réelle et non symbolique. Espérons qu'en soulignant le caractère
institutionnel – c'est-à-dire public – plutôt qu'*individuel* ou
privé des conditions requises pour la réussite ou l'échec dans
les arts, nous avons fourni un paradigme pour la recherche
dans d'autres champs du savoir. En scrutant par le détail un

seul exemple de privation ou d'injustice – l'interdiction des modèles nus aux étudiantes –, nous avons suggéré qu'il était de fait *institutionnellement* impossible que les femmes parviennent à l'excellence artistique ou au succès sur un pied d'égalité avec les hommes, quel que soit le potentiel de leur talent ou génie présumé. L'existence à travers l'histoire d'un petit groupe de femmes artistes auréolées de succès, à défaut de grandeur, ne vient en rien démentir cet état de fait, pas plus que ne le ferait celle de quelques superstars servant de caution au sein d'une minorité. Le succès fulgurant est déjà rare et difficile à atteindre, mais il est encore plus rare et difficile à atteindre lorsqu'en plus de travailler, il faut affronter les démons intérieurs du doute et de la culpabilité, mais aussi, dans la société, les chimères du ridicule et des encouragements paternalistes, aucun de ces obstacles n'étant corrélé avec la qualité de l'œuvre d'art en elle-même.

Ce qui importe, c'est que les femmes affrontent la réalité de leur histoire et de leur situation présente, sans se chercher d'excuses ni faire preuve de médiocrité. Certes, l'injustice peut être une excuse ; en revanche, elle ne saurait nullement être tenue pour une position intellectuelle valable. Au contraire, en utilisant comme point d'observation leur position de dominées sur le terrain de la grandeur, ou celle d'outsiders sur celui de l'idéologie, les femmes peuvent révéler les failles intellectuelles et institutionnelles. Elles peuvent en finir avec les scrupules infondés et, ce faisant, participer à la création d'institutions où la lucidité – et la grandeur véritable – est un défi relevable par tous ceux, hommes et femmes, qui font preuve d'assez de courage pour prendre les risques nécessaires et se lancer dans l'inconnu.

« Pourquoi n'y a-t-il pas eu de grands artistes femmes ? » Trente ans plus tard

Women Artists at the Millennium, 2006

Commençons par remonter le temps jusqu'en novembre 1970, une époque qui ne connaissait ni *women's studies*, ni théorie féministe, ni *African-American studies*, ni théorie queer, ni études post-coloniales. Les cours s'intitulaient alors « Art I » ou « Art 105 » – on découvrait dans l'obscurité des salles de classe de tout le pays des présentations souvent baptisées « Des pyramides d'Égypte à Picasso », qui proposaient une suite ininterrompue de chefs-d'œuvre louant les grands exploits artistiques accomplis depuis l'aube de l'humanité, tous par des hommes, évidemment. Dans les revues artistiques de référence comme *ARTnews*[1], sur un total de quatre-vingt-un articles de fond sur des artistes, seuls deux étaient consacrés à des femmes peintres. Dans l'année qui a suivi, dix articles sur quatre-vingt-quatre portaient sur des femmes[2], mais ce chiffre inclut les neuf articles du numéro spécial Femmes de janvier – dans lequel mon article « Pourquoi n'y a-t-il pas eu de grands artistes femmes ? » a été publié ; sans ce numéro, le total aurait donc été d'un article sur quatre-vingt-quatre. En 1970-1971, *Artforum* faisait à peine mieux : cinq articles consacrés aux femmes sur soixante-quatorze.

Bien entendu, les choses ont changé dans le monde universitaire et artistique, et j'aimerais concentrer mon attention sur ces changements, sur cette révolution qu'aucun article ni événement n'aurait pu accomplir seul mais qui est une affaire absolument collective et, bien évidemment, surdéterminée. « Pourquoi n'y a-t-il pas eu de grands artistes femmes ? » a été écrit aux premières heures grisantes du mouvement de libération des femmes en 1970. Il se fait l'écho de l'énergie politique et de l'optimisme de cette époque. Il était fondé, du moins partiellement, sur un travail de recherche mené l'année précédente lorsque j'avais dirigé le premier séminaire sur les femmes et l'art à l'université de Vassar. Sa publication était prévue pour l'un des premiers recueils universitaires sur le mouvement féministe, *Women in Sexist Society*[3] édité par Vivian Gornick et Barbara Moran, mais il est d'abord paru sous la forme d'un long article abondamment illustré dans le numéro polémique et novateur qu'*ARTnews* a consacré à la question des femmes, sous la direction d'Elizabeth Baker[4].

Quels étaient certains des buts et objectifs du mouvement féministe dans l'art à ses débuts ? Une de ses ambitions principales était de faire évoluer ou d'ébranler la notion traditionnelle de « grandeur » qui était presque exclusivement liée au masculin. C'était d'autant plus le cas qu'une réévaluation historique inédite de l'idéal culturel de grandeur avait eu lieu peu de temps auparavant dans l'Amérique des années 1950 et 1960. Cette réévaluation – dont je dois bien admettre que je n'avais pas pleinement conscience lorsque j'ai écrit cet article – a certainement teinté ma perception du problème. Comme l'a fait remarquer Louis Menand dans un article récent du *New Yorker* consacré au Reader Subscription's Book Club lancé en 1951, « ce qui date les textes [rédigés par des experts reconnus comme Lionel Trilling, W. H. Auden ou Jacques Barzun en introduction des sélections de livres], ce n'est pas qu'ils sont mieux écrits ou moins versés dans « le Théorique » que ne l'est la critique d'aujourd'hui. C'est plutôt leur recours incessant à la "grandeur". Cela en devient presque une béquille, comme si poser la question "Est-ce une grande œuvre ?" était la seule manière possible d'entamer une discussion sur une œuvre d'art[5] ». De cette idée de grandeur découlait la croyance que celle-ci était immuable et qu'elle était la chasse gardée du mâle blanc et de ses œuvres, même si cette seconde assertion était tacite. Dans les années qui ont suivi la Seconde Guerre mondiale, la notion de grandeur a été pensée comme une caractéristique genrée dans le contexte d'une lutte culturelle qui faisait de la valorisation des « intellectuels » une priorité de la guerre froide, « à l'heure où la préoccupation stratégique dominante était la crainte de perdre l'Europe de l'Ouest au profit des communistes[6] ».

Aujourd'hui, je crois qu'il est raisonnable d'estimer que la plupart des acteurs du monde de l'art ne se préoccupent plus autant de ce qui est grand et de ce qui ne l'est pas, de même qu'ils n'insistent plus autant sur le lien impératif entre l'art dit important et la virilité ou le phallus. On ne distingue plus autant les garçons, artistes de valeur, des filles, groupies et muses reconnaissantes. Une bascule a eu lieu ; on se soucie moins de la grandeur phallique que de la capacité d'innovation, de la conception d'œuvres intéressantes et provocatrices, du fait de laisser une trace et de faire entendre sa voix. L'accent est de moins en moins mis sur le chef-d'œuvre et de plus en plus sur l'œuvre. Même si « grand » peut servir de raccourci pour évoquer une importance élevée dans l'art, il me semble qu'il fait toujours courir le risque de l'obscurantisme et de la mystification. Comment le même terme de « grand » – ou de génie, d'ailleurs – peut-il définir les qualités et vertus spécifiques d'un Michel-Ange mais aussi d'un Duchamp, ou même, pour se concentrer sur une même période, d'un Manet et d'un Cézanne ? Un changement est survenu dans le discours sur l'art contemporain. De même que la beauté, la grandeur n'est plus un critère si central pour le postmodernisme dont l'essor a coïncidé avec la parution de « Pourquoi n'y a-t-il pas eu de grands artistes femmes ? ».

L'impact de la théorie critique sur la critique d'art, et plus particulièrement sur la critique féministe et/ou fondée sur le genre, constitue un autre bouleversement. Lorsque j'ai écrit « Pourquoi n'y a-t-il pas eu de grands artistes femmes ? », la théorie critique telle que nous la connaissons aujourd'hui n'existait pas pour les historiens de l'art, ou si c'était le cas, je l'ignorais : l'École de Francfort – oui, Freud – dans une certaine mesure ; mais Lacan et le féminisme français n'étaient que des poussières sur l'horizon, du moins à ma connaissance. Au sein du milieu universitaire, et jusqu'à un certain point dans le monde de l'art, cet impact a depuis été retentissant. Cela a évidemment changé notre manière d'envisager l'art – ainsi que la sexualité et le genre eux-mêmes. Mais l'effet produit sur une politique féministe de l'art est peut-être plus ambigu et mérite considération. C'est en tout cas l'une des raisons pour lesquelles le grand public a été tenu à l'écart d'une bonne partie des dossiers sensibles discutés par les historiens et les critiques d'art du sérail.

Si l'idéal du grand artiste n'est plus aussi prééminent qu'autrefois, il y a pourtant bien eu quelques carrières extraordinaires en ampleur et en longévité à étudier, une certaine grandeur à l'ancienne qui s'est épanouie dans les œuvres d'artistes femmes ces dernières années. Avant tout, il y a la carrière de Joan Mitchell. Son travail a parfois été disqualifié en tant qu'expressionniste abstrait de « seconde génération », avec le sous-entendu qu'elle n'a rien inventé ou qu'elle a manqué d'originalité, cet insigne cardinal de la grandeur moderniste. Mais pourquoi ne pas envisager l'aspect tardif de son œuvre comme une apothéose, l'acmé du projet de l'abstraction picturale tel qu'il avait été formulé plus tôt ? Considérons la place de Jean-Sébastien Bach dans la tradition baroque du contre-point : *L'Art de la fugue* a peut-être été créé à la fin d'une période stylistique, mais cette œuvre a indéniablement constitué le plus grand des « grands finales », à une époque où l'originalité n'était pas aussi prisée qu'aujourd'hui. Nous pourrions tout aussi bien établir un parallèle entre la position de Joan Mitchell et celle de Berthe Morisot dans sa relation à l'impressionnisme classique : toutes deux ont développé plus avant ce qui était en puissance dans le mouvement.

Dans le cas de Louise Bourgeois, une autre figure majeure de notre époque, la situation est sensiblement différente : ce que nous lui devons, c'est bel et bien la transformation du canon lui-même par le prisme de certaines priorités féministes ou, pour le moins, liées au genre. Ce n'est pas un hasard si le travail de Louise Bourgeois a ouvert la voie à une telle abondance de pensée critique émanant principalement de théoriciennes : Rosalind Krauss, Mignon Nixon, Anne Wagner, Griselda Pollock, Mieke Bal, Briony Fer et bien d'autres. Car Louise Bourgeois a bouleversé la notion même de sculpture, y compris la question de la représentation genrée du corps comme aspect central de l'œuvre. De plus, tout discours sur Louise Bourgeois doit se confronter à deux des principaux questionnements « post-grandeur » de notre temps : le rôle de la biographie dans l'interprétation de l'œuvre et l'importance nouvelle de l'abject, du vicieux, de l'informe ou du protéiforme.

Le travail de Louise Bourgeois se distingue par une merveilleuse excentricité conceptuelle et imaginative en lien avec la matérialité et la structure de la sculpture elle-même. Et cela vient bien sûr complexifier la rencontre visuelle avec ses pièces. En effet, comme Alex Potts (que je vais à titre honorifique compter ici parmi les chercheuses) l'a établi, « l'un des aspects les plus caractéristiques et les plus fascinants de l'œuvre de Louise Bourgeois tient à sa manière de mettre en scène une psychodynamique si vivante de l'expérience visuelle ». Il ajoute : « Elle semble apporter un soin inhabituel au déroulement de la rencontre entre son public et ses œuvres en trois dimensions dans le cadre d'un espace d'exposition moderne, mais aussi aux différentes formes que prennent les fantasmes psychiques activés lors de telles rencontres entre le spectateur et l'œuvre[7] ».

Il faut bien comprendre que même si Louise Bourgeois travaillait depuis les années 1940, elle n'avait réellement obtenu la notoriété et la reconnaissance qu'à partir des années 1970, dans

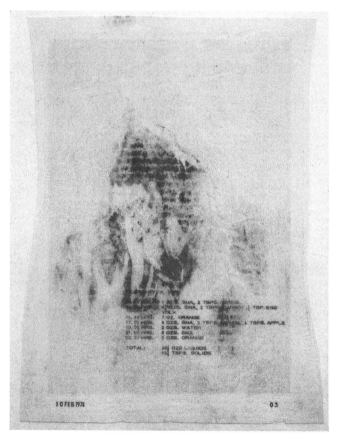

Mary Kelly, *Post-Partum Document: Documentation I,
Analysed Faecal Stains and Feeding Charts*, 1974.

Unité en plexiglas, fiche blanche, protections de couche, plastique,
revêtement, papier, encre, 1 unité sur 31, 28 × 35,5 cm

le sillage du mouvement des femmes. Lors d'un des premiers grands rassemblements féministes, je me souviens que lorsque nous marchions vers nos sièges respectifs, je lui avais raconté mon projet d'imaginer un pendant masculin à une photographie du XIXᵉ siècle intitulée *Buy my apples* [Achetez mes pommes] qu'on aurait pu appeler, disons, *Buy my sausages* [Achetez mes saucisses]. Louise m'avait alors dit : « Et pourquoi pas des bananes ?[8] » En un instant, elle était devenue une icône pour moi – en tout cas, il me semble que ça s'est passé ainsi.

La jeune génération d'artistes femmes cherche volontiers de nouvelles manières, subtiles ou violentes, de saper les bases de la doxa de la représentation. Une des réussites – et non des moindres – de Mary Kelly dans son *Post-Partum Document* [p. 88] a été de parvenir à désacraliser la célèbre théorie de Clement Greenberg pour qui seule la trace laissée sur la surface de la toile incarne la quintessence de la téléologie de l'art moderniste : dans son œuvre, Mary Kelly réduit prosaïquement cette trace à une tache de caca de bébé au fond d'une couche. Pour prendre un autre exemple, Cindy Sherman a subverti l'usage de la photographie de plateau et insufflé de l'étrangeté dans ce genre des plus conventionnels ; elle a ensuite fait voler en éclats l'idée du corps comme un tout et comme une entité naturelle et cohérente, grâce à une imagerie jouant sur le grotesque, la redondance et l'abjection. J'irais même jusqu'à dire que les photographies de Cindy Sherman inventent aussi une anti-beauté nouvelle et farouche donnant à l'œuvre de Hans Bellmer des airs de décor pastoral et venant surtout couper l'herbe sous le pied de peintres comme De Kooning ou Dubuffet, appréciés pour leur vision subversive de la féminité canonique.

L'autre changement profond que nous avons vu émerger concerne le rapport des femmes à l'espace public et aux monuments publics. Ce rapport est problématique depuis le début des temps modernes. L'asymétrie criante que l'on observe dans certaines de nos expressions en dit long : un « homme public » (comme dans *The Fall of the Public Man* de Richard Sennett[9]), est un individu digne d'admiration, actif en politique, engagé socialement, connu et respecté, tandis qu'une « femme publique » est une prostituée de la plus basse catégorie. Historiquement, les femmes ont par ailleurs été confinées et associées à la sphère domestique, que ce soit dans les théories sociales ou les représentations picturales.

Bien entendu, tout ceci a commencé à évoluer au XXᵉ siècle, bien qu'à pas lents, avec l'avènement de la « Femme nouvelle » : l'apparition de l'ouvrière et le mouvement des suffragettes, ainsi que l'entrée de la femme – en faible proportion bien sûr – dans le monde public des affaires et dans la vie professionnelle. Cependant, ce changement s'est bien plus reflété en littérature que dans les arts visuels. Deborah Parsons en a fait la démonstration dans *Streetwalking the Metropolis: Women, the City and Modernity*, son importante étude sur ce phénomène : dans des romans tels que *Pilgrimage* de Dorothy Richardson ou *Nuit et Jour* et *Les Années* de Virginia Woolf, les femmes interagissent avec la ville d'une manière plus libre et inédite – elles contemplent, se promènent, travaillent, consomment dans les cafés ou les clubs, elles habitent des appartements, observent et négocient l'espace public urbain – et se comportent ainsi en pionnières sans l'aide des traditions, littéraires ou autres.

Rachel Whiteread, *Holocaust
Memorial*, 2000. Judenplatz, Vienne.

Béton, 380 × 700 × 1000 cm

Jenny Holzer, *Memorial Café to
Oskar Maria Graf*, Munich, 1997.

Il a pourtant fallu attendre la fin des années 1960 et le début des années 1970 pour que les femmes en tant que groupe, en tant qu'activistes plutôt que simples flâneuses, s'emparent véritablement de l'espace public pour elles-mêmes, marchant pour le droit à disposer de leur corps, comme leurs grand-mères l'avaient fait pour le droit de vote. Et ce n'est pas un hasard si, comme le fait remarquer Luc Nadal dans sa thèse soutenue à Columbia en 2000, « Discourses of Public Spaces : USA 1960-1995 : A Historical Critique », l'expression « espace public » a fait son apparition à cette même époque chez les architectes, les urbanistes, les historiens et les théoriciens. Luc Nadal soutient que « l'essor du terme même d'"espace public" dans les années 1960 correspond à un basculement au cœur du discours sur l'urbanisme et le design ». Il relie ce phénomène au « vaste mouvement de libération culturelle et politique des années 1960 et 1970. » C'est dans ce contexte de libération que nous devons considérer la femme comme une force visible qui façonne et construit l'espace public plutôt que comme un simple élément visuel de l'environnement. Car les femmes jouent aujourd'hui un rôle majeur dans la construction des sculptures publiques et des monuments urbains. Ces monuments appartiennent d'ailleurs à un genre nouveau, qui rompt avec le passé, et ils provoquent volontiers la controverse. Certains disent que ce sont même des anti-monuments. Rachel Whiteread a par exemple recréé une maison condamnée sur un terrain vague de Londres, retournant son architecture de l'intérieur vers l'extérieur et suscitant une avalanche de réactions dans l'opinion publique. Pensée comme un anti-monument temporaire, la maison fut finalement détruite, ce qui provoqua un second élan

de protestation tout aussi vif que le premier. Conçu récemment
par la même artiste à Vienne sur la Judenplatz, le Mémorial de
la Shoah retourne également son sujet et sa forme du dedans
vers le dehors. En plaçant ce mémorial au cœur de Vienne, l'un
des sites majeurs de l'extermination des Juifs, Rachel Whiteread
force le spectateur non seulement à considérer le sort des Juifs,
mais aussi à repenser la définition même du monumental.

Jenny Holzer, qui utilise autant les mots que les matériaux
traditionnels et non traditionnels, a également fait scandale à
Munich et à Leipzig avec ses œuvres publiques provocatrices.
Son œuvre de 1997, *Memorial Café to Oskar Maria Graf* fait
réellement fonction de café à la Maison de la littérature à
Munich. Pour emprunter les termes de la doctorante Leah Sweet,
il s'agit d'un « mémorial conceptuel [qui] refuse de représenter
son sujet […] par un portrait ou par un récit de sa vie et de
son œuvre ». Le poète allemand Oskar Maria Graf est plutôt
représenté ici par des extraits de ses écrits que Jenny Holzer a
choisis et disséminés dans le café. De courts passages apparaissent
sur la vaisselle, les sets de table et les sous-verres – un usage
ironique de ce qu'on pourrait appeler une commémoration
abjecte-domestique !

Maya Lin est sans doute la plus importante et la plus
connue de ces créatrices de monuments aux significations
nouvelles, qui dénotent surtout une approche inédite de la façon
d'inviter la signification et l'émotion dans l'espace public. Ce
sont les propos mêmes de l'artiste qui expliquent le mieux les
intentions peu conventionnelles qui l'ont conduite à réaliser
un anti-monument pour un mémorial éminemment public,
le *Vietnam Veterans Memorial* à Washington[10] : « J'ai imaginé

Maya Lin, *The Women's Table*,
1993. Yale University, New Haven.

saisir un couteau et trancher la terre, l'ouvrir, comme une violence première et une douleur qui allait guérir avec le temps. L'herbe allait repousser, mais la coupure initiale demeurerait, formant une surface pure et plate dans la terre, gardant un aspect lisse et miroitant [...] l'obligation de faire figurer les noms sur ce mémorial allait devenir ce mémorial ; il n'y avait pas de nécessité à embellir sa conception plus que ça. Les gens et leurs noms allaient permettre à tout un chacun de réagir et de se souvenir[11] ». Avec *The Women's Table* [p. 95], Maya Lin créera un autre exemple de mémorial public inhabituel. Cette table ruisselante d'eau posée au cœur du campus de Yale en 1993 commémore l'admission des femmes à Yale en 1969, par le biais des mots, de la pierre et de l'eau. C'est un monument à la fois fort et doux, qui témoigne de la présence grandissante des femmes à Yale, mais qui rappelle aussi plus globalement la place émergente des femmes dans la société moderne. Pourtant, malgré son message ferme gravé dans la pierre par des faits et des chiffres, *The Women's Table* fait corps avec son environnement. Si l'œuvre constitue une intervention critique dans l'espace public, elle a sur cet espace un effet bien différent de celui qu'a *Titled Arc*, une œuvre controversée de Richard Serra datant de 1981. Comme son mémorial sur le Vietnam à Washington, le projet de Maya Lin à Yale tisse un lien – avec son contexte et avec la signification et la fonction du monument public en lui-même – contrairement à celui de Richard Serra qui s'érige comme une confrontation agressive envers l'espace public. Par cette comparaison, je ne suis pas en train d'affirmer qu'il y aurait une approche féminine et une approche masculine du monument public. Je ne fais que revenir au thème de

Kara Walker, *Gone: An Historical Romance of a Civil War as it Occurred b'tween the Dusky Thighs of One Young Negress and Her Heart*, 1994.

Papier découpé sur mur. Installation aux dimensions variables ; environ 396,2 × 1524 cm

cette discussion en suggérant qu'aujourd'hui comme au XIXᵉ siècle, même si les circonstances ont changé, il se peut que les femmes aient élaboré – et cherchent à élaborer – une expérience bien différente de leurs homologues masculins concernant l'espace public et les monuments qui dialoguent avec lui.

J'aimerais ensuite considérer très brièvement la prédominance de la production féminine dans une grande variété de médiums autres que la peinture et la sculpture au sens traditionnel et, surtout, le rôle des femmes artistes dans la destruction des barrières entre médiums et genres par leur exploration de nouveaux modes d'investigation et d'expression. On pourrait dire de toutes ces femmes artistes qu'elles inventent de nouveaux médiums, ou, pour reprendre une formulation pertinente du critique George Baker, qu'elles « occupent un espace entre les médiums[12] ». On peut alors citer des créatrices d'installations comme Ann Hamilton, qui fait pleurer les murs et pousser des cheveux aux planchers, ou la photographe Sam Taylor-Wood[13] qui, à partir de photos agrandies et/ou modifiées, crée « des photographies cinématographiques ou des tirages qui fonctionnent comme des vidéos[14] ». Cette liste d'artistes novatrices pourrait également inclure celles qui font un usage inédit de la photographie comme Carrie Mae Weems, celles qui innovent dans le domaine de la vidéo telles que Pipilotti Rist et Shirin Neshat, des performeuses comme Janine Antoni, ou encore celles qui revisitent avec originalité et audace des pratiques anciennes, comme Kara Walker qui a porté un regard post-moderne sur l'art de la silhouette.

Enfin, et même si je ne peux en donner qu'un bref aperçu, j'aimerais faire remarquer l'impact, conscient ou inconscient, que la nouvelle production artistique des femmes a sur celle des hommes. L'accent mis récemment sur le corps, le rejet du contrôle phallique, l'exploration du développement psychosexuel et le refus du parfait, de l'auto-expressif, de l'immuable et de l'autoritaire sont certainement dans une certaine mesure induits, même indirectement, par ce que créent les femmes. Certes, au commencement était Duchamp, mais il me semble que beaucoup des artistes masculins les plus radicaux et les plus intéressants du moment, d'une manière ou d'une autre, doivent beaucoup à ce courant de pensée centré sur la distorsion du genre et la conscience de son propre corps qui émane d'artistes femmes, qu'elles soient ouvertement féministes ou non. Les films de William Kentridge avec leurs métamorphoses constantes de la forme, leurs identités fluides, leur fusion du personnel et du politique, me semblent impensables sans l'existence préalable d'un art féministe ou féminin. L'œuvre de performeurs, de vidéastes, d'hommes créant du décoratif ou de l'abject aurait-elle été la même si les innovations féminines n'avaient pas eu un impact immense, si elles n'avaient pas modifié les enjeux et la teneur de la production artistique dans les années 1970, 1980 et 1990 ?

Car les femmes artistes, les historiennes de l'art et les femmes critiques d'art ont fait bouger les choses ces trente dernières années. Nous avons – en tant que communauté qui travaille ensemble – fait changer le discours et la production dans notre domaine. La situation a évolué depuis 1971 pour les femmes artistes et pour celles et ceux qui écrivent à leur sujet. Dans les universités, le nouveau champ de recherche des études de genre est florissant ; dans les musées et les galeries, toute une partie de la représentation critique s'empare des questions de genre. Les femmes artistes de toutes sortes – y compris les artistes de couleur – ont un public et des critiques, elles parviennent à se faire un nom.

La route est longue pourtant, encore et toujours. L'exercice de la critique doit, je pense, rester au cœur de notre démarche. En 1988, dans l'introduction de *Femmes, Art et Pouvoir*, j'ai écrit : « La démarche critique a toujours été au cœur de mon projet, elle y est encore aujourd'hui. Je ne conçois pas l'histoire de l'art féministe comme une approche "positive" de ce champ de recherche, qui se contente d'ajouter au canon une série de femmes artistes et sculptrices en guise de cautions, même si l'exhumation de carrières et de modes de production oubliés n'est pas dénuée de validité historique et […] peut fonctionner lorsqu'elle participe à la remise en cause des formulations conventionnelles des paramètres de cette discipline. Même lorsque nous traitons individuellement d'artistes comme Florine Stettheimer, Berthe Morisot ou Rosa Bonheur, il ne s'agit pas seulement de valider leur œuvre […] mais plutôt, en les interprétant, et les interprétant régulièrement à contre-courant, d'interroger tout l'appareillage historico-artistique qui s'est efforcé de les "maintenir à leur place" ; en d'autres termes, il s'agit de dévoiler les structures et les opérations qui tendent à repousser certains types de production artistique à la marge tandis qu'elles en mettent d'autres en avant. Le rôle de l'idéologie apparaît constamment comme un moteur dans une telle élaboration d'un canon, et a toujours, en tant que tel, été l'objet d'une grande attention critique de ma part, puisqu'une telle analyse "rend visible l'invisible". La pensée d'Althusser sur l'idéologie a constitué la base de mon entreprise, mais je ne suis pas non plus une althussérienne inconditionnelle. Au contraire, je me suis beaucoup intéressée aux autres manières de formuler le rôle de l'idéologie dans les arts visuels. »

Pour dire les choses autrement, quand je me suis lancée en 1970 dans la rédaction de « Pourquoi n'y a-t-il pas eu de grands artistes femmes ? », l'histoire de l'art féministe à proprement parler était inexistante. Comme toutes les autres formes de discours historique, elle restait à construire. De nouvelles sources devaient être recherchées, des bases théoriques posées, des méthodologies peu à peu érigées. Depuis, l'histoire de l'art et la critique féministes, puis plus récemment les études de genre, sont devenues une section importante de la discipline. La critique féministe (avec ses alliées que sont les études coloniales, la théorie queer, les études afro-américaines, etc.) a peut-être avant toute chose pénétré le discours *mainstream* lui-même, certes de façon souvent superficielle, mais chez les meilleurs chercheurs, elle est aussi devenue partie intégrante d'une pratique historique renouvelée, plus ancrée dans la théorie, plus contextualisée socialement et psychanalytiquement.

Peut-être tout ceci donne-t-il l'impression que le féminisme est confortablement niché dans le giron d'une des disciplines intellectuelles les plus conservatrices. C'est loin d'être le cas. Le monde des arts visuels résiste encore et toujours contre les variantes les plus radicales de la critique féministe et on accuse ses adeptes de tous les péchés, par exemple d'accorder trop peu d'intérêt à la question de la qualité, de faire table rase du canon, d'ignorer la dimension intrinsèquement visuelle de l'œuvre d'art ou de réduire l'art aux seules circonstances de sa production – en d'autres termes, on leur reproche de saper les partis-pris idéologiques et surtout esthétiques de la discipline. Et c'est tant mieux ; l'histoire de l'art féministe est là pour semer la zizanie, pour remettre en question, pour voler dans les plumes du patriarcat. Elle ne devrait pas être prise pour une variante ou un simple supplément à l'histoire de l'art *mainstream*. Dans sa pleine acception, l'histoire de l'art féministe est une pratique transgressive et contestataire destinée à remettre en cause une grande partie des préceptes majeurs de la discipline.

J'aimerais terminer avec un sujet quelque peu controversé : à l'heure où certaines valeurs patriarcales font leur grand retour, et c'est invariablement le cas lors de périodes de peur et de conflit, les femmes doivent refuser avec ferveur leur rôle séculaire de victimes ou de simples supportrices des hommes. Il est temps de repenser les fondements de notre statut et de les étayer pour le combat à venir. En tant que féministe, j'ai peur que la période actuelle de régression assumée vers les formes les plus criantes du patriarcat ne soit l'occasion ou jamais pour les soi-disant vrais hommes d'asseoir leur sinistre domination sur « les autres » – les femmes, les gays, les artistes et les personnes sensibles – et ne signe le grand retour de l'« à peine » refoulé. Oubliant que les « terroristes » [du 11 Septembre 2001] agissent eux aussi au nom du patriarcat (de manière plus flagrante bien sûr), le *New York Times* chante les héros américains avec des titres comme « Force physique exigée : le retour des hommes virils. » On y lit : « Le mot-clé c'est l'homme. L'homme costaud, héroïque, viril. » Et ainsi de suite… Nous aurions, paraît-il, besoin de figures paternelles – tant pis pour les femmes héroïques, évidemment. Quid des hôtesses de l'air assassinées – se sont-elles comportées en héroïnes intrépides ou simplement en

« victimes », la place que le patriarcat aime tant assigner aux femmes ? Même si l'autrice de cet article reconnaît qu'« une part de la compréhension du terrorisme […] implique souvent de s'attaquer aux racines de ce qu'est le masculin, » et que « la face obscure de la virilité a été abondamment relayée lorsqu'on a rendu publiques les biographies des pirates de l'air ainsi que celle d'Oussama Ben Laden lui-même, et découvert une société dans laquelle la masculinité est synonyme de conquête violente et dans laquelle les femmes ont été brutalement empêchées de prendre part à presque tous les aspects de la vie », même si – citant Gloria Steinhem –, elle soutient que « le schéma commun dans les sociétés violentes est la forte polarisation des rôles sexués » et même si le *Times* se sent suffisamment mal à l'aise avec « Le retour des hommes virils » pour l'accompagner d'un autre article en pied de page intitulé « Pas de panique : les vrais hommes savent pleurer », les sous-entendus de ce texte sont clairs et nets[15] : les hommes, les vrais, sont des types bien ; les autres, des mauviettes et des pleurnichards – comprendre, des efféminés.

Dans une veine similaire mais dans un domaine plus spécifiquement artistique, le *New Yorker* a publié récemment un portrait de Kirk Varnedoe, un curateur du MoMA sur le départ, dans lequel la revue en appelle au retour des hommes virils dans le monde de l'art. Varnedoe y est décrit comme « bel homme, dynamique, redoutablement intelligent et qui s'exprime avec une aisance intimidante[16] ». Il commence comme joueur de football américain. Au Williams College, dont le département d'histoire de l'art se fera bientôt connaître comme un incubateur pour directeurs de musées américains, il considère que la contribution de ses remarquables enseignants, S. Lane Faison, Whitney Stoddard et William Pierson, a été « avant tout de libérer l'histoire de l'art de son satané efféminement[17] ». Whitney Stoddard ne ratait pas un match de hockey et se rendait en cours à ski en hiver – une compétence peu féminine pour un historien de l'art, à n'en pas douter. À l'Institut des beaux-arts, « des hordes d'étudiantes tombaient amoureuses de lui. L'une d'elles lui a rendu une lettre d'amour en guise de copie d'examen[18] ».

Bien entendu, cette description est caricaturale dans sa manière de plaider pour la domination masculine dans le monde de l'art. Malheureusement, elle n'est pas si exceptionnelle. À chaque fois que je vois lors d'une conférence sur l'art un panel exclusivement masculin discourir devant un public principalement féminin, je réalise à quel point le chemin est encore long avant que l'on atteigne une réelle égalité. Mais je pense que nous vivons un moment critique pour le féminisme et la place des femmes dans le monde de l'art. Aujourd'hui plus que jamais, nous devons être conscientes de nos réussites, mais aussi des dangers et des difficultés qui nous attendent. Nous allons devoir mobiliser toute notre intelligence tactique et tout notre courage pour nous assurer que les voix des femmes soient entendues, que leur travail soit regardé et commenté. C'est notre mission pour l'avenir.

Notes

Pourquoi n'y a-t-il pas eu de grands artistes femmes ?

1 À quelques remarquables exceptions près, notamment *Sexual Politics, La Politique du mâle* de Kate Millett (1970), Éditions des Femmes, Paris, février 2000 (Stock, 1979), et *Thinking about Women* de Mary Ellmann, Harcourt Brace Jovanovich, New York, 1968.

2 « Women Artists » (1858), critique de l'ouvrage de Ernst Guhl, *Die Frauen in die Kunstgeschichte*, parue dans *The Westminster Review* (édition américaine), LXX, juillet 1858, p. 91–104. Merci à Elaine Showalter de m'avoir signalé cette publication.

3 Voir par exemple les excellentes analyses de Peter S. Walch consacrées à Angelica Kauffmann ou sa thèse (non publiée), « Angelica Kauffmann », Princeton University, 1968 ; sur Artemisia Gentileschi, voir R. Ward Bissell, « Artemisia Gentileschi – A New Documented Chronology », *Art Bulletin*, L, juin 1968, pp. 153–168.

4 Ellmann, *op. cit.*

5 John Stuart Mill, *L'Asservissement des femmes* (1869), Paris, Payot, 2016.

6 Sur l'apparition relativement récente de cette tendance grandissante à placer l'artiste au cœur de l'expérience esthétique, voir. M. H. Abrams, *The Mirror and the Lamp: Romantic Theory and the Critical Tradition*, W. W. Norton, New York, 1953, et Maurice Z. Shroder, *Icarus: The Image of the Artist in French Romanticism*, Harvard University Press, Cambridge, Mass., 1961.

7 La comparaison avec un mythe parallèle féminin, celui de Cendrillon, est des plus éclairantes : Cendrillon acquiert un statut plus élevé grâce à un attribut passif de l'ordre du fétiche sexuel – des petits pieds – tandis que l'Enfant prodige fait toujours ses preuves par l'action. Pour une étude approfondie des mythes sur les artistes, voir Ernst Kris et Otto Kurz, *Die Legende vom Künstler: Ein geschichtlicher Versuch*, Vienne, Krystall Verlag, Vienne, 1934.

8 Nikolaus Pevsner, *Academies of Art, Past and Present*, Cambridge University Press, Cambridge, 1940, p. 96*sq.*

9 Les orientations artistiques contemporaines – land art, art conceptuel, art informationnel, etc.– déplacent visiblement l'accent porté jusqu'alors sur le génie individuel et la marchandisation de l'art ; en histoire de l'art, le livre de Harrison et Cynthia White, *La Carrière des peintres au XIXe siècle* (1965), Flammarion Champs Art, Paris, 2019, propose de nouvelles pistes de recherche fructueuses, comme l'avait fait avant lui *Academies of Art* de Nikolaus Pevsner, pionnier sur le sujet. Ernst Gombrich et Pierre Francastel, chacun à sa manière, ont toujours eu tendance à intégrer l'art et l'artiste dans une situation globale plutôt qu'à les isoler dans une tour d'ivoire.

10 Les modèles féminins furent introduits dans les cours d'après nature en 1875 à Berlin, en 1839 à Stockholm, en 1870 à Naples, et après 1875 au Royal College of Art de Londres (Pevsner, *op. cit.*, p. 231). Un dessin au fusain de Thomas Eakins atteste qu'au moins jusqu'en 1855, les femmes engagées pour poser à l'Académie des beaux-arts de Pennsylvanie portaient un masque pour cacher leur identité.

11 Pevsner, *op. cit.*, p. 231.

12 White, *op. cit.*, p. 51.

13 White, *Ibid.*, tableau 5.

14 Sarah Stickney Ellis, *The Daughters of England: Their Position in Society, Character, and Responsibilities* 1844, (1842), in *The Family Monitor*, HG Langley, New York, p. 35.

15 NDT : Betty Friedan, *La Femme mystifiée*, Belfond, Paris, 2019. Cet essai paru pour la première fois en 1963 s'appuie notamment sur une série d'entretiens avec des Américaines de la classe moyenne ayant cru (à tort) s'accomplir dans le mariage, la maternité et le confort d'un foyer.

16 Ellis, *op. cit.*, pp. 38–39.

17 Patricia Thomson, *The Victorian Heroine: A Changing Ideal*, Oxford University Press, Londres, 1956, p. 77.

18 White, *op. cit.*, p. 91.

19 Anna Klumpke, *Rosa Bonheur : sa vie son œuvre*, Flammarion, Paris, 1908, p. 311.

20 Friedan, *op. cit.*, p. 158.

21 Klumpke, *op. cit.*, p. 166.

22 Comme dans beaucoup de villes aujourd'hui encore, certains règlements municipaux interdisaient le mélange des genres en matière vestimentaire.

23 Klumpke, *op. cit.*, pp. 308–309.

24 *Ibid.*, pp. 310–311.

25 Cité par Elizabeth Fisher dans « The Woman as Artist. Louise Nevelson », *Aphra*, I, printemps 1970, p. 32.

« Pourquoi n'y a-t-il pas eu de grands artistes femmes ? » Trente ans plus tard

1 *ARTnews* 68, mars 1969–février 1970.

2 *ARTnews* 69, mars 1970–février 1971.

3 Vivian Gornick et Barbara Moran, (éds), *Women in Sexist Society*, Balk Books, New York, 1971.

4 *ARTnews* 69, janvier 1971.

5 Louis Menand, *New Yorker*, 15 octobre 2001, p. 203.

6 Menand, art. cité, p. 210.

7 Alex Potts, « Louise Bourgeois – Sculptural Confrontations », *Oxford Art Journal*, 22, n° 2, 1999, p. 37.

8 NDT : Cette photographie érotique française du XIXᵉ siècle représente une jeune femme nue qui tient un plateau

à hauteur de poitrine, contenant les pommes qu'elle propose à la vente. Cette image constitue pour Linda Nochlin un exemple type de réification de la femme. En 1972, elle réalise donc un montage qui met face à face cette photo et une seconde version masculine, où un homme nu tient un plateau au niveau de son pénis, sur lequel il propose à la vente… des bananes, comme l'a suggéré Louise Bourgeois à Linda Nochlin.

9   NDT : Richard Sennett, *Les Tyrannies de l'intimité*, Le Seuil, Paris, 1979.

10   NDT : Maya Lin est devenue célèbre en 1981 quand, à l'âge de 21 ans, encore étudiante, elle a remporté le concours pour le Vietnam Veterans Memorial à Washington, DC.

11   *New York Review of Books*, 20 novembre 2000, p. 33.

12   *Artforum*, novembre 2001, p. 143.

13   NDT : devenue depuis Sam Taylor-Johnson.

14   *Artforum*, novembre 2001, p. 143.

15   *New York Times*, 28 octobre 2001, section 4, p. 5.

16   *New Yorker*, 5 novembre 2001, p. 72.

17   *Ibid.*, p. 76.

18   *Ibid.*, p. 78.

Bibliographie

de Linda Nochlin

D'Souza, Aruna (éd.), *Making It Modern: A Linda Nochlin Reader*, Thames & Hudson, Londres, à paraître

Harris, Ann Sutherland, et Linda Nochlin, *Women Artists, 1550–1950*, Los Angeles County Museum of Art, Los Angeles, 1976

Nochlin, Linda, et Tamar Garb (éds), *Jew in the Text: Modernity and the Construction of Identity*, Thames & Hudson, Londres, 1995

Nochlin, Linda, *Representing Women*, Thames & Hudson, Londres, 1999

Nochlin, Linda, W*omen, Art, and Power and Other Essays*, Westview, Boulder, Colorado, 1988

Reilly, Maura, et Linda Nochlin (éds), *Global Feminisms: New Directions in Contemporary Art*, Merrell, Londres, 2007

Reilly, Maura (éd.), *Women Artists: The Linda Nochlin Reader*, Thames & Hudson, Londres, 2015

Sur Linda Nochlin

D'Souza, Aruna (éd.), *Self and History: A Tribute to Linda Nochlin*, Thames & Hudson, Londres, 2001

Garb, Tamar et Ewa Lajer-Burcharth, « Remembering Linda Nochlin », *The Art Bulletin*, 99, n° 4 (2 octobre 2017), p. 7–9

Nixon, Mignon, « Women, Art, and Power After Linda Nochlin », *October*, 163 (mars 2018), p. 131–132

Publications sur l'histoire de l'art féministe

Armstrong, Carol M., et M. Catherine de Zegher (éds), *Women Artists at the Millennium*, MIT Press, Cambridge, Mass., 2006

Butler, Cornelia H., et Lisa Gabrielle Mark (éds), *WACK!: Art and the Feminist Revolution*, Museum of Contemporary Art, Los Angeles, 2007

Horne, Victoria, et Lara Perry (éds), *Feminism and Art History Now: Radical Critiques of Theory and Practice*, I. B. Tauris, Londres, 2019

Jones, Amelia (éd.), *The Feminism and Visual Culture Reader*, Routledge, Londres et New York, 2ᵉ édition, 2010

Jones, Amelia, et Erin Silver (éds), *Otherwise: Imagining Queer Feminist Art Histories*, Manchester University Press, Manchester, 2016

Meskimmon, Marsha, *Transnational Feminisms, Transversal Politics and Art: Entanglements and Intersections*, Routledge, Londres et New York, 2020

Meskimmon, Marsha, et Dorothy Rowe (éds), *Women, the Arts and Globalization: Eccentric Experience*, Manchester University Press, Manchester, 2015

Morris, Catherine (éd.), *We Wanted a Revolution: Black Radical Women, 1965–85: New Perspectives*, Brooklyn Museum, New York, 2018

Parker, Rozsika, et Griselda Pollock, *Old Mistresses: Women, Art and Ideology*, I. B.Tauris, Londres, 1981, 2ᵉ édition, 2013

Pejic, Bojana (éd.), *Gender Check: a Reader: Art and Gender in Eastern Europe since the 1960s*, Walther König, Cologne et Londres, 2011

Pollock, Griselda, *Encounters in the Virtual Feminist Museum: Time, Space and the Archive*, Routledge, Londres et New York, 2007

Pollock, Griselda (éd.), *Generations and Geographies in the Visual Arts: Feminist Readings*, Routledge, Londres et New York, 1996

Reckitt, Helena (éd.), *Art and Feminism*, Phaidon, Londres et New York, 2001, 2ᵉ édition 2012

Robinson, Hilary, et Maria Elena Buszek (éds), *A Companion to Feminist Art*, Wiley Blackwell, Hoboken, New Jersey, 2019

Liste des illustrations

En couverture, en quatrième de couverture et frontispice :
Marie Denise Villers, *Marie Joséphine Charlotte du Val d'Ognes*, 1801.
Huile sur toile, 161,3 x 128,6 cm

L'édition originale de cet ouvrage a paru sous le titre *Why Have There Been No Great Women Artists? 50th anniversary edition*, chez Thames & Hudson Ltd, Londres.

Why Have There Been No Great Women Artists? 50th anniversary edition
© 2021 Thames & Hudson Ltd, Londres
Essais © 2015 Linda Nochlin
Épigraphe © 2021 Judy Chicago

Introduction de Catherine Grant

Traduction française © 2021 Thames & Hudson Ltd, Londres
Traduit de l'anglais par Margot Rietsch
Relecture par Anne Levine

Cet ouvrage mis en pages par Thames & Hudson a été reproduit et achevé d'imprimer en juillet 2022 par l'imprimerie DZS-Grafik d.o.o. pour Thames & Hudson Ltd, Londres.
2ᵉ réimpression

Dépôt légal : 2ᵉ trimestre 2021
ISBN : 978-0-500-02482-9
Imprimé en Slovénie